初恋の爪痕

藤波ちなこ

イースト・プレス

contents

序章

蝋燭《ろうそく》の柔らかな灯火《ともしび》が、室内をほんのりと照らしている。

部屋の中央の寝台の上で、ひとりの男とひとりの女が絡み合う。

絶え間ない水音と、女のこらえたような泣き声が、静かな部屋に響いていた。

黒髪の男は無言で、四つん這いの女を後ろから苛《さいな》んでいる。

「……あっ……あっ……、や……っあ」

ユリアネは白い顔を敷布に押し付け、涙を零しながら揺さぶりに耐える。

男の繰り出す激しい抽送で、痛みと同時にひそかな悦楽が与えられるが、何も感じていないふりをしなくてはいけない。痛みにでも、喜びにでも、自分が声を上げてしまったら、きっと彼に耳障《ざわ》りだと思われてしまう。

彼に抱かれるときは、たいてい後ろからだった。

壁に手を突かされて立ったまま貫《つらぬ》かれたり、獣のように跪《ひざまず》かされたりするので、ユリアネには彼の顔が見えない。

そんなふうに扱うことで、肌を合わせながらも決して馴《な》れ合わず心を近づけ合うこともないふたりの関係を思い知らせようとしているのかもしれない。

「……やぁ、あっ！」

男の突き上げがひときわ激しくなる。

硬く熱い肉の剣に穿《うが》たれ、身体の最奥に激しい振動を与えられる。ぐちぐちという粘った音と肌のぶつかる音はあまりに生々しすぎた。耳をふさぎたくなるが、そんなことは許されない。

彼の腰の動きが、力強さを保ったまま小刻みなものに変わる。

腹の底を揺すぶられるうちにどこからか小さな疼《うず》きが下りてきて、蜜壺でぎゅうっと中のものを締め付けることになった。

声を上げてしまいそうになり、唇を噛んで悲鳴を殺す。

「ん……、んん……っ」

彼は、好んでユリアネに夜伽《よとぎ》を命じているわけではなかった。

憎んでいるからこそ、痛めつけて、辱《はずかし》めるために抱いていた。

そして、自分は、彼に黙って従い、体も心もすべて差し出して、その責めを受け入れなくてはいけない立場だった。

無垢だったユリアネを組み敷きながら、彼は言ったのだ。

愛人の立場を思い知らせてやると。

指が食い込むほど強く、腰を掴まれる。痛みとうらはらな快楽に気が遠くなった。

「……っ、あ、あ……」

喉奥から声が漏れる。

がつがつと子宮の入り口を突かれ、その抽送に意識が飛びかけた。

「――く」

短く呻《うめ》いて、男が中のものを引き抜いた。ユリアネの腰に生温かいものがかかる。彼は息を整えながら、ユリアネの身体をけがらわしいもののように寝台の端に押しやった。

ユリアネは、思うとおりには動かない身体を叱咤《しった》して起き上がった。

寝台から下りて、長い時間突っ張っていたために力の入らない手で、床に散らばった夜着を拾い、羽織《はお》る。用意されていた湯と布で彼の身を清め、新しい夜着を着せ掛けた。

済んだら、すぐに退出しなくてはいけない。

自分は、彼と同じ寝台でやすむことなど許されていない。

ユリアネは汚れた身体のまま、深く頭を下げた。

「待て」

寝台の上から声がかかった。少し疲れたようなかすれ声だった。

「……はい」

ユリアネは顔を上げずに小さく答えた。いつものやりとりが始まるのかと思ったのだ。

「――婚約することになった」

ユリアネは顔を伏せたまま、小さく目を見開いた。

彼はこの秋に二十になる。若くしてグロウゼブルク侯爵家の当主となり、国王の覚えもめでたい貴公子だ。社交界では彼に憧れる娘たちが引きも切らず、少年のころから降るような縁談話があったと聞く。

とある事情で延び延びになっていた結婚が、一年経ってようやくまとまったということなのだろう。

「……おめでとうございます」

震える声で言ったユリアネに、彼は淡々と言い放つ。

「来月、私の誕生日の宴《うたげ》の席で内々に披露目《ひろめ》をする。相手はおまえとは天と地ほどに身分が違う令嬢だ。せいぜい出しゃばらず身を慎《つつし》んで、波風立てぬようにしておけよ」

ユリアネは彼の愛人だったが、この城で最も彼に疎《うと》まれ、嫌われている存在だった。城の片隅で息を潜めるように生活し、使用人たちからは遠巻きにされ、陰口をたたかれている。彼がそれを知らないはずはないのに。

胸がぎゅっと締め付けられるのを感じながら、静かに彼の言葉に答えた。

「……はい、おおせのとおりに……」

鼻で笑った男は、しばらくして、つまらなそうに言った。

「来い」

彼は言いながら枕の下に手を差し込むと、小さな何かを取り出した。

ユリアネはいつもの通りに彼の前に両手を揃えて差し出す。本当は受け取りたくはなかったけれど、これは交合《こうごう》のあとの儀式のようなものだ。

白く浮かび上がるてのひらの上に、金貨が一枚落とされる。

「……ありがとうございます」

ユリアネは暗い声でそう言い、再び深く頭を垂《た》れた。

彼の返事はなかったので、ユリアネはもうそこにいたくなくて、足早に部屋を出た。

侍女と侍従の控える前室を抜けて、底冷えのする回廊に出る。腰高の塀《へい》の向こうには黒い海が広がっていた。

この城は、海を臨《のぞ》む切り立った崖の上に建っている。

秋の初めの潮風が、ユリアネの乱れた白金《しろがね》色の髪をなぶった。髪も菫《すみれ》色の瞳も、この国の生まれではありえない色だ。

一年前にこの城に来たばかりのころのユリアネには、一瞬も絶えることのない波の音が不吉な咽《むせ》び泣きのように感じられ、恐ろしくて眠れないこともあった。

けれど、今は、波音が穏やかな子守歌のようにも思えている。

この海の底に、ユリアネの大切な人たちが眠っているからだろうか。

彼らはユリアネのことをどう思っているだろう。

恨まれ、憎まれ、慰《なぐさ》みにもてあそばれながら、その男に密かな恋をしている娘を。

絶対に報われることのない詮無《せんな》い想いを捨てられない娘を。

ユリアネは、肌寒さにそっと夜着の襟元をかき寄せる。

与えられているのは、城の最も北にある、開かない窓しかない小部屋だ。当主の寝室からは長い道のりだった。

手の中の金貨は、体温を拒むようにいつまでも冷たい。

ぎゅっと手を握り込み、腕を振り上げてみた。このまま塀の向こうに投げ捨ててしまおうかとも思う。そうすれば、こうして金貨と引き換えに抱かれる惨《みじ》めさをほんの少しだけ晴らせるかもしれなかったから。

「……だめよ……」

己にそう言い聞かせ、震える拳《こぶし》を下ろす。

彼が婚約するのなら、こんな不毛な関係は早晩終わるだろう。そうして、ユリアネはこの城を去らなくてはならないはずだ。

これを捨ててはいけない。自分のために使ってもいけない。

遠くないいつかに訪れるその日までこの金貨を使わずにいることが、ユリアネのなけなしの矜持《きょうじ》だった。

空には、白い三日月が浮かんでいる。

ユリアネは、金貨を手に、物言わぬ月をしばらく見上げていた。

1　指輪と約束

　それは、ユリアネの六つの誕生日を数日後に控えた、ある晴れた冬の日のこと。

　ユリアネが暮らす小さな館《やかた》は、グロウゼブルク侯爵領のはずれにあった。背後に黒い森が広がる、村からは少し離れた静かな場所だ。

　その館の日当たりのよい二階の部屋で、ユリアネは鏡台の前に行儀よく座っていた。

　背後に立つ侍女を鏡の向こうに見つめながら、ユリアネは言った。

「ねえ、どうして髪を染めなくちゃいけないの？」

　侍女は、ユリアネの白金色の髪を梳《くしけず》っていた手を止める。侍女の名はパウラといい、ユリアネの亡き父、アンゲラー男爵の乳母だった女だ。今は、遠く離れた場所に住む母に頼まれて、幼いユリアネを養育している。

「それはね、ユリアネさまの髪の色が、都ではあんまり珍しすぎるからですよ」

　パウラは優しく言って、再び手を動かし始める。

「頭巾《ずきん》を被《かぶ》るんじゃだめ？　パウラみたいに」

「子どもが髪を隠していたら、かえって変じゃありませんか」

「うん、そうだけど……」

　髪を梳《す》き終わったら、嫌な臭《にお》いの染料を髪に塗りたくられて、しばらくおとなしく待っていなければならない。髪を染めるのは一年に一度、王都に行くときだけだったが、辛抱しきれないほど長く感じられる時間だ。

「でも、お母さまも同じ色だわ」

　母は、遙か北方にある異国の生まれで、この国では珍しい白金色の髪と菫色の瞳をしている。ユリアネも、母の血が濃く出たためか、全く同じ色合いだ。

　母は、侯爵領よりもずっと南にある王都で暮らしていた。そこで侯爵の側にお仕《つか》えしているから、年に一度、ユリアネの誕生日にしか会うことができない。

　数日後には、ユリアネとパウラは、都から迎えにやってくる馬車に乗り、母に会いに行くのだ。

「わたし、お母さまと同じ色のままがいい……」

「お母さまにはお仕事の合間にこっそり会いに行くのですから、あんまり目立ってはいけないんですよ。それに、髪の色が違ったって、お母さまはユリアネさまにちゃんと気づいてくださいますよ」

　パウラのその言葉に、思わず背後を振り仰《あお》ぐ。

「ぜったい?」

彼女はユリアネの肩にふくよかな手を添え、微笑んで言った。

「絶対です。こんなに可愛いお嬢様を、どうして見間違えたりできましょう」

本当は自分の方こそ、一年に一回しか会えない母を忘れてしまっているんじゃないか、見間違えてしまうのではないかと不安なのだ。

確かに覚えているのは、ユリアネと同じ色の綺麗な長い髪、温かな胸と優しい声、そして、器用に美しい刺繍《ししゅう》をする白い手だ。母の顔は、記憶の中でおぼろげだった。

「……うん。なら、いい」

せめて、母の顔を思い出せるように、肖像画が手元にあったらいいのにと思う。

ユリアネが物心つく前に亡くなった父は、男爵でありながら画家でもあったが、どういうわけか、彼が描いた家族の絵は一枚たりとも残されていない。また、父は自分自身を描くのが好きではなかったそうで、父の自画像も存在しないという。

旅のために家を空けることが多かった人だけれど、赤子のユリアネをとても可愛がり、屋敷にいる間は一晩中飽きることなく寝顔をスケッチしていたとも聞く。

ユリアネは、優しい侍女が語ってくれる寝物語の中の父を知っている。けれど、それだけと言ってもよかったのかもしれない。

しょんぼりしていると、パウラに髪を撫でられた。

「さあ、早く染めてしまいましょうね。しばらく待って髪を洗い終わったら、荷造りをしましょう。ユリアネさま、手伝ってくださるでしょう？」

ユリアネはうん、と頷く。

「裁縫道具を忘れないようにしてくださいね。お母さまに新しい図案を教えていただきますからね」

パウラは裁縫全般が得意だったが、ユリアネの母も故郷でお針子《はりこ》を生業《なりわい》にしていたこともあり、特に刺繍に長《た》けていた。ユリアネは普段はパウラから手仕事の基本を習い、その成果を母に見せることにしていた。そして、新しい刺繍の図案を教わって帰るのだ。

「リボンはどうしますか？　荷物に入れてしまいますか？」

ユリアネは、花の刺繍を施《ほどこ》したリボンを母に渡すつもりだ。図案はパウラに相談しながら自分で考えた。色選びにも難儀した。ひと月以上の時間をかけて少しずつ縫い進めた。

「ううん。リボンは自分で持っていく。すぐにお母さまに見せられるように」

そして、いつも身に着けてもらえるように。

「じゃあ、汚れないように、大事に包んでおきましょうね」

パウラはにっこりと笑った。

ユリアネは本当は、早く、母とパウラと一緒に三人で暮らせるようになりたいと思っている。毎晩寝る前の祈禱《きとう》のときには心の中で神様にお願いしている。

でも、母はユリアネを養うために侯爵の屋敷に仕えていて、とても忙しい。

だから、もっと裁縫が上手になって、針仕事で身を立てて、母が働かなくてもいいようにしたい。そして家族で一緒に暮らすのだ。父の分も母に親孝行をしたい。

もしかしたら、将来、ユリアネは誰かと結婚するかもしれない。その人も母とパウラを好きになってくれたらいいと思う。きっとユリアネもその人の家族を大事にするだろう。

けれど、まだまだ先の話だ。

今は、母に会える日が待ち遠しい。

けれど、いつまでもその日が来てほしくないという思いもあった。

都で母と過ごす短い時間の後には、次に会える日を待つ一年間が始まるからだ。

柔らかな日差しを運ぶ窓の向こうを見つめながら、ユリアネは、馬車の出る日も晴れていたらいいと思うのだった。


数日後、ユリアネはパウラとともに迎えの馬車に乗り、半日かけて都に上《のぼ》った。

馬車が都の城壁の門をくぐったころ、時刻は夕方近くになっていた。

「何だか、冷えますね。ユリアネさま、寒くはないですか」

パウラが分厚い上着の襟元を掻《か》き合わせる。

覗き見た窓の外では、ちらちらと雪が舞っていた。

「パウラ、雪が降ってる！」

ユリアネはぱっと目を輝かせる。

「まあ、どうりで寒いわけです。都でも、今年初めての雪かもしれませんよ」

この灰色の空のもとに母がいて、そしてもうすぐ会うことができると思えば、ユリアネの胸はぽかぽかと温かくなるほどだ。

外を眺めること半時、馬車がようやくある場所に停まった。

御者が扉を開けると、先にパウラが外に出る。ユリアネも彼女に手を引かれ、おそるおそる地面に降り立った。

一年ぶりに訪れたそこは、うっすらと記憶しているとおり、お城ではないかと思うほど立派なお屋敷だった。グロウゼブルク侯爵が都に所有する邸宅で、母が働いている場所でもある。

御者が中の者にふたりの来訪を告げ、馬車に乗り込んで去っていった。

雪の降る中、屋敷の裏口に立ち、ユリアネとパウラはしばらく手を繋いで待っていた。

しかし、待てども待てども中に入れてもらえない。

「ユリアネさま、もう少しだけ待ちましょうね」

「うん」

ユリアネは、パウラと繋いでいない方の手に、はあっと息を吹きかける。

「荷物から、襟巻《えりまき》を出してあげましょうか」

「ううん。へいき。ねえ、お母さま、お仕事が忙しいのかな」

「きっとそうですよ。今頃、大急ぎでユリアネさまに会うための支度をなさってます」

身体の芯まで冷え、唇が震え始めたころ、パウラが手を解き、ユリアネの顔を覗き込んで言った。

「中に入れていただけるようお願いしてきますから、ここで少し待っていてくださいね。荷物を見ていてくださいますか？」

パウラは、なるべく雪風を凌《しの》げるようユリアネを壁際に立たせ、側に荷物を寄せた。

「大丈夫。ちゃんと見てる」

パウラは、頷くユリアネに、ここを動かないように、誰かに会ってもついて行ったり物をもらったりしてはいけませんよ、と言い含め、屋敷の中に入って行った。

パウラを見送ったら、ふと気が緩《ゆる》んでしまい、ユリアネは壁に背中を預けてしまう。

日が落ち始めると雪は止み、辺りが朱色に染まり始めていた。

吐いた息が白く染まり、手足がかじかむ。

周囲に誰もいないことを確かめて、ユリアネは上着の懐《ふところ》に手を入れ、小さな布包みを取り出した。真っ白な布をそっと広げ、中のものを確かめる。

それは、母に練習の成果を見てもらうために作った贈り物だった。薄紫色の幅広のリボンに草花の図案の縫い取りを施し、端も刺繍で始末したユリアネの力作だ。手仕事に関しては厳しいパウラも、母にきっと似合うはずとお墨付きをくれた。

両手に載せたリボンを再び布で包み、仕舞いなおそうとしたとき。

突然、声をかけられた。

「誰だ？」

少年の声だった。

数歩先に立っていたのは、黒髪に黒い目の、くっきりとした目鼻立ちの賢そうな少年だ。ユリアネよりも三つか四つほど年上に見える。

すらりと背が高く、簡素だが仕立ての良い服を着ている。長靴を履いているところを見ると、乗馬のための格好のようだ。

ユリアネはリボンに夢中になっていたから、彼が近づいてきたことに気づかなかったのだ。

「……おまえ、どこからきた」

少年はつんと顎を上げて言った。

ずいぶんとぶしつけな問いだったが、そのぶっきらぼうな声はどこか親しみを感じさせる。

ユリアネはおずおずと唇を開いた。

「遠くから」

「何のために来た」

少年の間髪容《い》れぬ問いに、小さな声で答える。

「……お母さまに会いに来ました」

「母親がここで働いているのか？」

ユリアネはこくりと頷いた。

パウラには、母はここで侯爵のために働いているのだと教えられている。

「父親は？　なぜおまえのような子どもがひとりで来たんだ」

「お父さまは死にました。ここには、年に一度ばあやと一緒に来ます。ばあやは、今、中に入って行きました」

少年は、一瞬だけ黙りこみ、少し俯《うつむ》いた。

「……そうか。悪かったな」

言いながら、彼は上着の衣嚢からてのひらほどの袋を取り出し、中身をユリアネの手の上に載せた。

少年がくれたのは、砂糖を丸く固めた、雪の塊のような菓子だ。ユリアネの小さなてのひらの上で、夕陽を受けて輝いて見える。

「きれい」

思わずそう呟いてしまう。

「ありがとう。食べてもいいの？」

少年が頷いてくれたので、そのまま口に入れてしまいそうになった。途中に立ち寄った町で昼食を済ませたきり、何も口にしていなくてお腹がぺこぺこだったから。

ユリアネは、はっとして唇を噛む。

「……知らない人に、ものをもらったらいけないの」

それは、ついさっきパウラに念押しされたばかりのことだった。

手を伸ばして返そうとしたユリアネに、少年は一瞬、面食らったような顔をした。

「おまえ、僕を知らないのか？」

素直に頷く。

彼は唇を尖らせてむっとした表情を見せた。だがすぐに、面白い、とにやりと笑った。

「砂糖菓子は好きか」

ちょっとのためらいのあとに、はい、と答えようとした。

彼は指で菓子をつまみあげると、ユリアネの開きかけた口にぽいっと放りこんだのだ。

「あっ……」

小さな砂糖の塊は、口の中であっという間にとろけて消えた。

優しい甘さが舌の上に残る。それを思わずごくんと飲みこむや否《いな》や、もう一つ唇の間に菓子が押し込まれた。

「ほら、もう、返したくても返せないだろう」

少年はそう言って口元を緩めた。そして、ふと表情を翳《かげ》らせる。

「……僕の母上も、遠いところにいらっしゃる」

少年の黒い目は遠くを見つめている。雪風に黒い絹糸のような髪が戦《そよ》ぐ。

その横顔が、とても寂しげに見えた。

「おかしなものだな。遠くに住むおまえの母親がこの屋敷にいて、ここにいるべき母上が遠くにいらっしゃる」

彼は、ユリアネの茶色く染まった髪を撫でた。

「おまえ、早く母親と一緒に暮らせるといいな」

うん、とユリアネは頷いた。

それは毎日眠る前に神様にお願いしていることだったからだ。少年の優しい気遣いに、ユリアネは頬を染める。

「でも、あなたは？」

何の気なしに尋ねると、少年はくしゃっと顔を歪める。

「——母上は、戻って来られることはないだろう。あれがいる限り……」

最後の呟きはユリアネにも聞こえたが、理解には至らなかった。

そして彼は、少しわざとらしい明るさでユリアネに問い返す。

「それよりおまえ、なぜ、年に一回しか来ないんだ？」

彼の表情を見たユリアネは、幼心に、自分の問いかけが彼を傷つけたのだと気づいた。

「……わたしの誕生日だから、お母さまに会いに来たんです」

ユリアネは、胸に抱えた包みをそっと広げて、少年に見せる。

「それから、これ……」

男の子は興味など惹かれないだろうとは思いながら、少年にリボンを見せる。

「へえ。おまえが縫ったのか」

少年は感心したように顎に手を当て、頷いている。大人のような仕草だった。

「上手だな」

ユリアネはぱっと顔を上げ、目を輝かせた。

今まで、自分の刺繍を見てくれるのはパウラと母だけだったからだ。

「ほんとう？」

「ああ。本当にきれいだ。――なあ、これを僕にくれ」

優しい目で懇願するように見下ろされ、ユリアネは戸惑った。

「えっ、これはリボンだけれど……」

「そんなこと見ればわかる」

つまらないことを言うな、と彼はすねたような表情を浮かべる。

「でも、どうして？」

尋ねるユリアネに、少年は力強く言った。

「何だか、見ていたら、ほっとする」

ユリアネは嬉しくなった。でも、すぐにしゅんとしてしまう。

「これは……これはね、あの……」

答えあぐね、目を伏せる。

彼のお願いを聞いてあげたかったけれど、渡してしまうことはできなかった。

「……これはね、お母さまにあげるの。だから……」

唇を震わすユリアネの顔を見て、少年ははっとした表情を浮かべた。

「そうだったのか」

彼は、少しがっかりしたように目じりを下げた。

「それなら、取り上げるわけにはいかないな。無理を言って悪かった」

ユリアネは、胸がぎゅっと締め付けられるのを感じた。

砂糖菓子をくれたこの少年に、何かお返しがしたいと思ったのだ。

「来年……」

ユリアネは勇気を振り絞って言った。

少年が小さく首を傾げて見つめてくる。

「ん？」

「来年、贈り物を作ってきてあげる」

母が自分に刺繍を贈ってくれるのと同じように。

少年はちょっと目を見開いて、次に頬を緩めた。

「そうか。じゃあ、待っている」

「何の図案がいいですか？」

「どんなものができるんだ？」

ユリアネは小さく胸を張った。

「頑張って、なんでも縫えるようになります。えっと、ひとりでは無理だけど、教えてもらって」

彼は少し思案して、ぽつりと言った。

「じゃあ、鷹《たか》を」

ユリアネは問うた。

「鷹ってなに？」

「鳥だ。大きくて、鋭《するど》い嘴《くちばし》の、ほら」

彼はそう言うと、右手に嵌《は》めていた指輪を外して見せてくる。銀色の指輪は、翼を広げた大きな逞《たくま》しい鳥を象《かたど》ったものだった。

「おまえにやろう」

びっくりするユリアネに対し、彼は言葉を続けた。

指輪は、子どものユリアネが見ても、大変高価なものだとわかる。

「誕生日のお祝いだ。これを見て、僕との約束を思い出せよ」

言いながら、彼はユリアネの手を強引に取った。

ユリアネよりもずっと大きな手は、硬く、温かい。

「でも、叱られちゃう」

彼が指輪を指に嵌めようとするが、ユリアネのどの指にも大きすぎてぶかぶかだった。

「じゃあ、誰にも内緒にしておけ。来年また来たとき、これを誰かに見せたら僕と会える

ようにしておいてやるからな」

その偉そうな言い方が優しく思え、ユリアネは思わず微笑んだ。

「ありがとう……」

手の中の指輪を見つめながら、ユリアネは礼を言った。

「また、会いに来ます。刺繍をいっぱい練習します」

心がほんのりと温かくなり、思いがけぬ言葉が口をついた。

「それから、あなたもお母さまと一緒に暮らせるように、毎日お祈りする」

ユリアネがそう言うと、少年は笑った。

「若様——」

ふたりが見つめあっていると、遠くから男の声が聞こえてくる。声の主はだんだんと近づいてきているようだった。

少年ははっとしたような顔をする。

「若様、どちらですか！　寒いので、もう中に——」

呼びかけを遮って、少年が声を張り上げた。

「今、行く！」

彼は、じゃあな、と短く言って、声のする表の方に向かって歩きはじめた。

その背中が角の向こうに消える前、彼は途中で足を止めた。

振り返った彼は、頬を真っ赤に染めている。

「おまえ、大きくなったら、僕の側で働けよ。そうしたら、母親と一緒に暮らせるだろ」

少年は照れたようにそれだけ言った。

そして、風のような速さで駆け去って行ってしまった。

ユリアネは、自分の名前を彼に教えるのを忘れていたことに気づいた。そしてまた、自分も彼の名を聞かずじまいだったことにも。

(大丈夫、来年、また会える)

指輪を小さな手の中に握り込む。

陽はすっかり沈んでいた。雪は静かに降り続けていた。


間もなく、ふたりは屋敷の中の母の部屋に通された。そこは広々とした個室で、大きな寝台をはじめとした立派な調度で統一されていた。暖炉ではあかあかと火が燃えている。

しばらく待った後、ひとりの女性が息を切らせて室内に入ってきた。

彼女は、ユリアネの姿を認めるなり、転びそうな勢いで駆け寄ってくる。

「ユリアネ、会いたかったわ……」

母は迷わずその場に膝をつき、娘の身体をぎゅっと抱きしめた。ユリアネも華奢な母の肩におそるおそる手を回す。

(よかった。見間違えなかった)

母は、確かめるかのように、飽きることなくユリアネの髪を撫で、背中を宥《なだ》めていた。やっと体を離し、下からユリアネの顔を見上げ、頬に手を当ててくる。

柔らかく、温かい、しっとりとした手だった。

「こんなに冷えて……、ずいぶん待ったでしょう」

久しぶりに見る母はとても綺麗だったが、仕事のためか少し疲れた様子だ。

「ううん。平気。お仕事お忙しいのでしょ？」

この部屋の設《しつら》えといい、着ているドレスといい、母は使用人には十分すぎるほどの待遇を受けているらしい。きっと大変なお勤めを果たしているからなのだろう。

「ごめんなさいね。もう大丈夫だから。ユリアネ、六つのお誕生日おめでとう」

母は目を細めた。それがなぜか少し辛そうな表情に見える。

「お腹が減っているでしょう？　すぐ、夕食の準備をしてもらうわ。それまで、暖炉で身体を温めてね。ああ、パウラ、疲れたでしょう、ありがとう……」

母は、まるで時間がもったいないとでも言うかのように矢継ぎ早に話しかけながら、ふたりを暖炉の前に座らせた。食事の支度のためにか、離れようとする母に、ユリアネは慌てて声をかけた。

「お母さま。待って、あのね」

ユリアネは立ち上がって、振り返った母に、懐の中のものを差し出した。

「なあに？」

母が白い布の包みをそっと開いた。

その表情が明るくなり、きらきらとした菫色の目が潤《うる》んでゆく。

「まあ――、すごくきれいよ。図案も自分で考えたの？　色選びも？」

「ひとりじゃなくて、パウラと一緒よ」

「ユリアネは色彩感覚が優れてるんだわ。きっとお父さま譲りなのよ。それに、表も裏も同じように丁寧に縫えているのがいい。お母さまがもらっていいの？」

父の名を出して褒められ、ユリアネはとても嬉しくなった。

「うん。早く、髪に飾って見せて！」

ユリアネがおねだりすると、母は早速目の前で髪を結いなおしてくれた。思っていた通り、薄紫色のリボンは母の髪に映えてとてもよく似合う。

「ありがとう。ずっと大事にするわ……」

涙ぐんだ母がユリアネの頭を撫でる。

その様子を、パウラもとても嬉しそうに見守ってくれていた。

一緒に食事をとった後は、入浴して、刺繍を教わった。ユリアネは母にいろいろな鳥の図案を教えてほしいとお願いし、その中には鷹の形もあった。

夜が更けると、三人で就寝前の祈禱を済ませた。

ユリアネは母と同じ寝台に入れてもらった。

「夜更かしは今日だけよ」

優しく言う母に、ユリアネは頷く。

横並びの枕に頭をのせたまま、母がユリアネの方に顔を向けてきて、問いかける。

「ね、毎日、おやすみ前のお祈りのとき、何をお願いしているの？」

ユリアネは、身体を近づけて、母の耳元に顔を寄せる。

「あのね……、お母さまとパウラと早く一緒に暮らせますようにって」

そう言うと、母は黙ってしまった。

暗くてその表情が見えないユリアネは、ひそひそ声で続けた。

「今日会った男の子がね、大きくなったらここで働いたらいいって言ってくれたの。その子のこと誰にも内緒ね。わたし、ここでお母さまと働きたい。勉強もお裁縫も頑張るから……」

言い募《つの》るユリアネを、母の腕が強く抱きしめる。その温かさと力の籠もりように、ユリアネは言葉の続きを口にするのを忘れてしまった。

「お母さま……？」

「ユリアネ」

母の声が何度も呼ぶ。子守唄のように優しく。

「ユリアネ、大好きよ」

腕の中でユリアネも何度も頷いた。

「大好きよ。一緒にいてあげられなくて、ごめんなさい……」

母が泣いているような気がして、ユリアネはその肩を何度も撫でた。

眠ってしまうのが惜しいと思うほど、母に話したかったことがたくさんある。

なのに、母の匂いに包まれて、その心地よさに、ユリアネはいつの間にか寝入ってしまっていた。

翌日の去り際、ユリアネは、次の年にまた来るという約束を母と交わした。

けれど、その約束が果たされることはとうとうなかった。

ユリアネたちが館に帰り着いた直後に、母が病にかかったとの報《しらせ》がもたらされた。

ユリアネとパウラが見舞いに行くことさえ許されない。都の侯爵邸に何度手紙を送っても返事は来ず、ただ、金貨だけが絶えることなくふたりのもとに届けられるようになった。


ユリアネが十三になる前の日のことだった。

母に会えなくなってから七年の月日が経った。

ユリアネは、もう髪を染めることもなく、安息日《あんそくび》にミサのために教会に行く以外にはほとんど館の外に出ない生活を送っていた。老いはじめたパウラと助け合いながらのつましい暮らしだった。

その日は、朝から激しい雪風が窓を叩き続けていた。びゅうびゅうという寂しげな風の音を聞きながら、いつものようにパウラとともに昼食の準備をする。

パウラはユリアネに、針仕事をはじめ、台所仕事や洗濯など、家政のおおよそを教え込んでいた。

父の生家であり、パウラが雇われていたアンゲラー男爵家は、父の死後、後継ぎがいないため途絶えた。その夫人だったユリアネの母も遠くでお勤めをしている。もはやユリアネは下級貴族の令嬢ですらなく、町や村で暮らす普通の娘たちとさほど変わらぬ身分だ。将来誰かに嫁ぐにせよ、結婚せぬまま一生を終えるにせよ、どこででも食べるに困らぬよう、一人でも生きてゆけるよう、母とパウラが考えてくれたのだろうと思う。

温めたパンとチーズ、ちしゃのサラダとミルクだけの食事を卓《たく》に並べ、ふたりは向かい合って席に着く。

食事の前のお祈りのあと、ユリアネはしばらく黙り込んでいた。

「ユリアネさま？　召し上がらないのですか」

パウラに心配げに問われ、ユリアネは質素な食事の皿を見つめながら唇を噛んだ。

十三の誕生日を翌日に控え、ユリアネにはパウラに話すと決めたことがあるのだ。

「あのね……」

ユリアネは目を上げる。パウラが柔和な表情で小首を傾げていた。

「パウラ、わたし、明日で十三になるでしょう。自分の身の回りのことは、自分でできるようになってきたと思うの」

ええ、と彼女は短く答えてくれる。ユリアネは勇気を出して切り出した。

「決めていたことがあるの。——わたし、侯爵さまのお屋敷で働きたい」

それは、あの六つの冬の日からずっと考えていたことだった。

「お屋敷で働いたら、お母さまの側で暮らせるでしょう？　看病もできるわ」

ユリアネは続けた。ずっと胸の中で温めていた望みだ。

「急にどうなさったんです。都に行くなんて、そんな突拍子《とっぴょうし》もないことおっしゃって」

パウラは困り顔だった。いたずらをたしなめるときのような、いつもの表情ではなかった。

「急じゃないわ。七年前、最後にお母さまのところへ行ったとき、男の子に会ったのよ。その子が、大人になったらここで働けって、そうしたらお母さまとも一緒に暮らせるって言ってくれたの」

パウラは微かに顔をこわばらせ、硬い声で繰り返す。

「男の子ですか？　いつ、お会いになったんです」

「わたしより年上の、黒い髪の男の子よ。パウラを外で待っていた間に会ったの」

「……その方のお名前は？」

パウラが、畏《おそ》れるような口調で言った。まるで、あの少年を知っているかのようだ。

「お屋敷の他の人には、若様って呼ばれていた」

「ユリアネさまはその方に、ご自分の名前を教えましたか？」

「いいえ」

首を振り、否定する。

「……なら、ようございました。ユリアネさま、残念ですが、侯爵さまのお屋敷で働くことはできません。お母さまがお許しになりません」

パウラのあまりにきっぱりとした厳しい口調に、ユリアネは驚いて卓の上に手をついてしまう。

「どうして？　お母さまに相談もしていないのに」

「お母さまは、決して侯爵邸に近づかないでほしいとおっしゃっているのです」

「わたしが子どもで、お母さまのお仕事の邪魔になるからでしょう？　わたしはもう働けるもの。あの子に会って、ちゃんとお願いしたら、うまくいくわ」

次の年に刺繍を持っていくという約束を、ユリアネは果たすことができなかった。

お屋敷に行けば母の側にいて、役に立てる。

そして、またあの少年の姿を見ることができる。ユリアネはずっと、あの子にまた会いたいと思っていた。あまりに幼すぎて気づけないでいたけれど、ユリアネはあの少年に初めての恋をしていたのだ。

森の側の館で育ち、パウラ以外の人とあまり接する機会のなかったユリアネにとって、少年は初めてふたりきりで過ごした子どもだった。それだけでなく、母に会えないユリアネの寂しい気持ちをわかってくれた。同じ境遇だったからだ。そして、慰めに甘いお菓子を、約束の印に銀色の指輪をくれた。

あの少年のぶっきらぼうな優しさに触れた一瞬の邂逅《かいこう》は、ユリアネにとって小さいけれど大切な秘密だったのだ。

もしも彼が自分の母親と暮らせるようになっていたら、どれほど嬉しいだろう。

「ユリアネさま」

外で風がいっそう強く吹き、窓枠をがたがたと鳴らした。

「よく聞いてください。侯爵邸に行くことも、その方に会うこともできません。なぜなら――」

その虚しい音を裂くように、パウラは沈痛な面持ちで告げた。

「お母さまが、侯爵さまにお世話になっている方だからです。お側にいて、その代わりに面倒を見ていただく立場ということです。わかりますか」

ユリアネは目を見開き、パウラの顔をまじまじと見つめた。

彼女の言葉がすぐには理解できなかった。彼女の後ろめたそうな悲痛な瞳が、母の境遇を想像させ、ユリアネはその知りたくはなかった事実にやっと行き着いたのだった。

おそるおそる問い返す。

「それは、道を踏み外した関係ということ？」

パウラはさっと目を逸《そ》らした。

「そのように言う人もいます」

ユリアネは思わず立ち上がっていた。食事の最中に席を立つなんて、今まで一度もしたことがない。

「お母さまは、間違ったことをしているってこと？　お父さまのことは？　ご病気で会えないというのは嘘？」

少しずつ疑念が頭をもたげ、暗い感情が胸をいっぱいにしていく。

母がそんな人だと思いたくなかった。それは、ユリアネが今まで信じてきた母の姿や、パウラに聞かされてきた寝物語とはあまりにかけ離れ、罪深いことだったから。

パウラはユリアネの無作法を咎《とが》めはしなかった。ただ静かで痛ましげな目をしていた。

「ご病気は嘘ではありません。体調を崩され、人には会えなくなったのです」

「でも、お手紙もくださらないじゃない」

「こちらに接触すれば、ご自分やユリアネさまのお立場が悪くなってしまうからです。亡くなった侯爵夫人や、後継ぎの子爵さまも、お母さまのことをよく思っていらっしゃらなかったので」

「亡くなった……？」

繰り返すユリアネに、パウラは決まりが悪そうに説明する。

「侯爵さまの奥方さまは、長く侯爵さまと別居しておいででしたが、つい先頃お亡くなりになったのです。前後して、ひとり息子のゲルハルトさまが子爵位をお継ぎになって……」

ユリアネは小さく息を呑《の》んだ。

長く、父親と別居していた母親。

その存在が、若様と呼ばれていた少年の身の上とぴたりと符合《ふごう》する。あの少し偉そうな物言いや立派な身なり、そして涼《すず》やかで気品のある様子は、使用人の息子などではありえなかったのだ。

「わたしの会った男の子は、子爵さまだったのね？」

パウラは返事をしなかったが、その不安そうな表情から、答えは明白だった。

「奥方さまは、お母さまが侯爵さまの側にいるから、お屋敷を出たの？」

「そこまではわかりません。でも、信じてください、お母さまは決してご自分で望まれてユリアネさまと距離を置かれたのではないし、会えなくても今でもずっとユリアネさまを思っていらっしゃいます。そして、お父さまのことも」

最後に会った日の母の表情と、「大好きよ」という囁《ささや》きを、ユリアネは思い出していた。

もう顔もおぼろげで思い出せないけれど、あの温もりと優しい声だけは間違えようがない。

ユリアネは、口を噤《つぐ》み、震える膝を宥めるように椅子に腰かけた。

パウラの言うことが本当なら、母は望まないにもかかわらず、侯爵の屋敷にいるのだ。

ユリアネのまだ幼い心では、その事情を割り切ることはできない。泣いてわめいてしまえば少しは気が晴れるかもしれないが、パウラが困ることはわかっていた。

だから、ユリアネはぐっと言葉を飲み込んで、静かに食事を再開した。

冷めたパンと硬くなってしまったチーズは味がほとんどしなかった。

十三になる日を前に、ユリアネの幼いころからの夢は虚《むな》しく潰《つい》え、初めて覚えた恋も、彼の名前と素性を知ったと同時にあっけなく終わってしまった。

その後、とうとう、ユリアネは母に会うことができなかった。

十五の秋に、思いもかけない事故で、侯爵と母が世を去ったからだった。

2　奈落《ならく》

教会には、十五になった信者が一生の信仰を誓う儀式があった。

その誓願式という儀式を待つ者は、代父母に導かれ、一年以上かけて奉仕活動に携《たずさ》わり、教会で神の教えを学ぶ。式の直前には告解を済ませ、清らかに過ごしてその日を待つ。

そうして、秋に行われる特別なミサで、司教から額に聖油を受け、儀式は終わる。

誓願式を済ませた者は公的な場で大人として扱われるようになり、結婚も認められる。

もちろん、貴族などの一部の例外を除いて、ほとんどの子どもたちは誓願式の前に家業を手伝ったり奉公に出たりと働き始めているので、名目としての意味合いが強い。

季節は秋のさなかだった。森の木々が色づき始め、どんぐりを拾う栗鼠《りす》や肥えた兎《うさぎ》が館の近くで見られるようになっていた。

昨冬に十五の誕生日を迎えたユリアネは、来月、誓願式に臨む予定だった。明日の安息日には教会で告解を受けることになっている。

時刻は宵《よい》の口だった。

晩餐《ばんさん》のあとの習慣にしている針仕事を終え、入浴を済ませたユリアネは、就寝前のお祈りをはじめようと暖炉の側に近づく。

いつもならパウラもやってくるはずなのに、しばらく待っても彼女は現れなかった。

ユリアネはガウンを羽織って居間を出て、パウラの私室に向かった。扉を何度か叩き、外から声をかける。

「パウラ、いるの？　もうやすむでしょう？」

少し待つと扉が開いて、パウラが姿を見せる。彼女は腕の中に、見慣れない外套《がいとう》や大きな荷物を大儀《たいぎ》そうに抱えていた。

「どうしたの？　この荷物は――」

問いかけに応えず、パウラはユリアネに外套と外行きの革靴を差し出した。

「ユリアネさま、急なことですが、ここを出なくてはなりません」

彼女の声は切迫して険《けわ》しい。

思わず手を差し出して靴を受け取りながら、ユリアネは尋ねる。

「どうして？　だって、明日は教会に行くのに」

「詳しいことは後で説明します。着替える時間ももうありません。村まで行って司祭《しさい》さまに馬車をお借りしましょう」

パウラは、足元まですっぽりと隠れるほどの外套を広げ、ユリアネの肩に着せ掛ける。

「目立つので髪は隠してください。本当は染めて差し上げたかったけれど、もう間に合いませんから」

ユリアネの髪を一撫でして彼女は矢継ぎ早に続けた。

「これから、ユリアネ様を修道院にお連れします。お城から使いが来てしまう前にここを出なくては」

「ねえ、パウラ、何があったの？　ここを出てどこに行くの。お母さまは知ってらっしゃるの？」

ユリアネが母の名を口にすると、パウラの丸い目が一杯に開かれた。

「お母さまは……」

パウラはぐっと呼吸を飲み込み、唇をきつく噛んだ。

「今夕《こんゆう》、北のお城からひそかに知らせがありました。お母さまが侯爵さまとともに事故に遭われたと」

「――事故？」

ユリアネは突然の出来事に理解が追い付かなかった。ただ、母が危ない目に遭っているのなら、すぐにでも駆けつけたかった。

「お母さまのところに行く。どうして修道院なんか……」

言い募るユリアネを遮《さえぎ》り、パウラは鬼気迫る表情で言った。

「お母さまと侯爵さまは、海に転落し、遺体が見つかっていないのです」

ユリアネは息を呑んだ。頭の中が真っ白になり、全身から血の気が引いていく。

「お母さまはかねてから、ご自分の身に何かあったらユリアネさまをこの館から逃がすようお命じになっていました。お願いですからどうか聞き分けてくださいまし」

「いやよ、そんなの信じない。だって……！」

ユリアネは声を張り上げる。

そのとき、パウラの背後で、玄関の扉が激しく叩かれた。

誰か居ないか、開けるように、とくぐもった男の声が聞こえる。

パウラがぎょっとした顔で振り返り、思わずといったていで漏らす。

「早すぎる——」

この館には、十数年間、侯爵から定期的に遣わされた使者以外に訪問者などいなかった。

そしてその侯爵は事故に遭い、おそらくは身動きが取れない状態のはず。

では、やって来たのはいったい誰なのか。

しばらくして、扉を打ち付けるような音は止んだ。

すぐに錠に鍵が差し込まれる気配があった。

女ふたりの暮らしだから、毎晩厳重に戸締りをしている。外から開けられる鍵を持っているとすれば、それはこの館の本来の主である侯爵に連なる者でしかありえない。

パウラがユリアネに顔を向けた。

「ユリアネさま、裏口から出てください。村まで行って司祭さまにお会いするのです」

彼女は裏口に続く厨房の方にユリアネを押しやりながら言った。

「私もすぐに追いかけますから、さ、早く――」

そう言うか言わぬかのうちに、パウラの肩越しに、玄関の扉が開かれるのが見えた。

入ってきたのは二つの人影だった。

先導する一人は赤茶色の外套の中年の男。逞しい体つきは武人のように見えた。

一歩遅れて玄関に足を踏み入れてきたのは、すらりと背の高い、黒い外套の青年だった。

中年の男の方が険しい顔で口を開いた。

「無礼を承知で入らせてもらった。何せ応《いら》えがなかったもので」

ふたりの男は、外套やら荷物やらを間に挟んで向かい合っているふたりの女を見やり、すぐに状況を把握したようだった。

「アンゲラー男爵夫人の娘と、その侍女で間違いないな？」

中年の男は乗馬靴を踏み鳴らして廊下を進んできた。ふたりの背後に回り込み、裏口への道をふさぐように立った彼は、ユリアネに向かって告げる。

「グロウゼブルク侯爵自ら、あなたに急ぎ伝えたいことがあるとのことでお出ましです。この様子ではどうやら、夜分に馬を走らせる必要はなかったようですな」

もう一つの足音が近づいてきた気配があり、ユリアネは玄関に顔を向けた。

青年が、いつの間にか数歩先のところに立っていた。

肩は広く、外套の上からでもわかる鍛《きた》え抜かれた体躯《たいく》を持っている。

髪は漆黒《しっこく》。彫像と見紛《まご》うような白皙《はくせき》に、くっきりとした美貌が刻まれている。

一片の表情も浮かべていない目が、ユリアネを頭からつま先まで睥睨《へいげい》した。

早鐘のように鼓動していたユリアネの胸が、一瞬だけ、止まったかのように締め付けられる。

記憶の中の彼の姿はもうはっきりとしない。

けれど、見間違えるはずがない。十年の間、ずっと会いたいと思っていた人だ。

グロウゼブルク侯爵、と呼ばれていた。これまで侯爵と呼ばれていた人が既に亡くなり、この青年がその後を継いだということになる。

「夜逃げの相談の最中か」

その嘲《あざけ》るような一言が、再会して初めてかけられた言葉だった。

「人伝《ひとづて》に知らせるのもどうかと思ってわざわざ出向いたというのに、随分な歓迎のされようだ」

その声は苦々しげだったが、張りがあり、思わず聞き惚れそうな響きだった。

「ゴルドー、老婆の方を見張っていろ。この娘に話をする」

「心得ました」

男は、ユリアネとパウラの間に割って入った。

「お放しなさい！　ユリアネさまに何かしたらただじゃすみませんよ」

パウラが男の腕を振りほどこうとし、抱えていた荷物が床に落ちてしまう。ゴルドーは

全く意に介さず、背後からパウラをやすやすと拘束した。

ゴルドーはこの館の間取りを承知しているらしく、青年に向かって目線で奥の居間を示した。

彼は小さく顎《あご》を引くと、ユリアネの左腕を引っ摑み、居間に向かって歩き出した。

パウラに着せ掛けられていた外套が、肩から流れて床に落ちる。きつく握られた腕が軋《きし》むように痛かった。

引きずられるように居間に入ると、腕を放され、長椅子の前に乱暴に突き飛ばされた。

青年は――ゲルハルトは、扉の鍵を後ろ手にかけると、床に尻もちをついた格好のユリアネを見下ろした。

「もう聞いているのだろう。私の父と、おまえの母が死んだ」

それは、裁判人が罪人に対してするような宣告だった。

「……うそ。海に落ちて、見つかっていないだけだって……」

それは、まだ母が生きているかもしれないと信じたいユリアネの一縷《いちる》の望みだった。

ゲルハルトは鼻で笑った。

「落ちたのは三日前の晩だ。北の海は波が激しく、沈んだものはまず上がって来ない。今頃はふたり揃って海の底だろう」

その意味にユリアネは慄然《りつぜん》とする。遺体が見つからないということは、お墓さえ作れないということだ。

神の教えでは、いつか来る最後の審判のあと、善良な魂が復活したときのために、死者のなきがらは生前の姿のまま棺《ひつぎ》に納めて地下に葬《ほうむ》らなければならない。帰る肉体が失われることは最大の恐怖だった。

「父の密葬は済ませ、教会に届を出して空《から》の墓を作らせた」

ユリアネは目を上げた。ゲルハルトの黒く冷たい目と視線が交わる。

「今日来たのは、おまえの母親のことをどうするか決めるためだ。だが、どうやらそんな必要はなかったようだな。母の生死の確認もせずに真っ先に逃げ出そうとしていたのだから」

その疲れたような瞳が、陰惨《いんさん》な光を宿す。怒気を孕《はら》んだ声で彼は続けた。

「おまえの母親がどうやって父にこの屋敷を維持させていたか、知らないわけではないだろう」

どうやって、という言葉に、憎しみが込められている。

彼は、ユリアネの方に一歩足を進めた。

「――なあ、大の大人ふたりが、偶然に、同時に、城の露台《ろだい》から真っ逆さまに海に転げ落ちると思うか？　心中でもなければ、どちらかが先だったと思わないか？」

ユリアネの背筋をぞくりと冷たいものが流れる。

「近くで見ていた者によると、先に落ちたのはおまえの母で、私の父が手ずから助けようとして、もろともに崖下に転落したという話だ」

「それは、お母さまが、自害しようとしていたということ……？」

自害は教会の禁じる大罪だ。

おそるおそる尋ねるユリアネに、ゲルハルトはゆっくりと近づいてくる。

「まるで、そんなはずはないと言いたげな口ぶりだな。だが、おまえの母が自ら死のうとしたのか、たまたま足を滑らせたのか、そんなことはどうでもいい。ただわかることは、父はおまえの母のせいで死んだということだ」

彼は、ユリアネの足にからげた寝巻の裾を踏みにじった。

黒い外套を脱ぎ捨て、床に放ると、続いて革手袋から手を引き抜いた。

「おまえの母は、私の母から三度も奪った。わかるか？　一度目は父の心を、二度目は正妻の誇りを、三度目は父の命をだ。唾棄《だき》すべき女だ」

侯爵夫人は、三年近く前に失意のうちに没したという。彼は、母のために、故人の誇りさえけがされたのだと言いたいのだ。

ゲルハルトは腰をかがめてユリアネと視線を合わせる。

「よくものうのうと、母を信じているとでもいうような顔でいられるな。あの女そっくりの見目をして」

言葉をなくしたユリアネに、彼は焦《じ》れたらしい。

もう何も考えられなかった。耳を塞《ふさ》いでしまいたい。できることなら、母が死んだという海に自分も沈んでしまいたかった。

彼の手が伸びてきて、無遠慮に顎を摑んだ。

「ここを出て、次に寄生する先でも探しに行くつもりだったのか？」

その手は冷たかった。

ずっと昔、まだ互いの名も知らなかったときに指輪をくれた手とはあまりに違う。

「おまえに、愛人の身の程を思い知らせてやろうか」

彼の瞳は憎悪に煮えたぎっていた。

薄明りの中で、底なしの闇を湛《たた》えていた。

ユリアネは自分に気づいてほしいという必死の願いを込め、その人を見つめた。

九年前、ユリアネに指輪をくれた人。それを見て、再会する約束を思い出せと言った人。

けれど、彼は自分のことなど思い出さなかった。ユリアネにとっては大切な幼い日の思い出も、彼にとっては忘れ去っても何の障りもない他愛ない出来事だったのだ。

それに、もし名乗ったとしても、彼は思い出してはくれないだろう。

もしも万に一つ思い出してくれたとしても、信じてはもらえないか、おまえなどいらないと嗤《わら》われてしまうだろう。

なのに、ユリアネは、彼の目に魅入られてしまったのだ。

ゲルハルトは床に膝をつき、覆い被さってくる。右手でユリアネの左手首を押さえ、左手で長い髪を乱暴に摑み、ユリアネを仰《あお》のかせる。

痛みに顔を歪めるユリアネと視線を交わらせながら、彼は言った。

「もう男を知っているんだろう？　あの女の娘だものな」

その二重の侮辱に、ユリアネは身じろいだ。押さえつけてくる腕を跳ねのけようとするが、力の差は歴然としており、絨毯に爪を立てることしかできなかった。

「せいぜい、楽しませろ」

低い声でそう紡ぐなり、ゲルハルトはユリアネの首筋に顔を埋めた。

「あっ――」

耳の下の柔らかい肌をきつく吸われる。ユリアネはぴりぴりとした痛みに顔をしかめた。髪ごとうなじを引っ掴まれ、絨毯の上に倒された。重い体の下に組み敷かれ、寝巻の裾に手を入れられる。

「いや、何を……！」

氷のような手がふくらはぎを辿って、太ももに触れる。これまで、そんな場所を男性に触れさせたことなどない。

物心ついたときからほとんどの時間をパウラとふたりきりで過ごし、外界との接触は教会に行くときだけという生活を送ってきたユリアネは、男女の交わりに関する知識が著しく乏しかった。

母と侯爵の関係が世間で非難されるものだということは知っていても、ふたりが何をしているかということは想像もつかないのだ。

「やめて、放して！」

首を振って身をよじり、自由になる右手でゲルハルトの肩を押しのけようとする。それがかなわなかったので、せめて背を向けたくて上半身をひねった。

長椅子に縋りついたところをまた後ろから囚われる。

ユリアネは、前には逃れられなかった。腰にゲルハルトの腕が回され、いっそう身動きが取れない格好になってしまう。

「あっ――」

ゲルハルトが寝巻の上からユリアネの乳房に触れた。てのひらで質量を確かめるように包み込み、揉みしだき始める。ユリアネは羞恥に顔を赤くした。

「やだ、触らな……で……」

彼がうなじに顔を埋めたのがわかる。濡れた感触が耳に触れ、耳朶《じだ》を舐めた。

「……ぁ……」

「もったいぶるなよ」

直接に耳に注ぎ込むように彼は囁いた。

その間も胸をまさぐる手は止まらず、ユリアネはふくらみを握りつぶされてしまうかもしれないという恐怖に怯えた。彼の指が先端を摘まむように挟むと、異様な感触に身を震わせる。

「やっ……」

柔らかかった頂《いただき》は、指の間で転がされるうちに硬くしこった。そこから甘い疼きが生まれ、腰下の方に伝わってゆくのにユリアネは戸惑う。

すっかりそこが尖ってしまうと、ゲルハルトの手が襟元に差し込まれ、直《じか》に指先で触れてきた。

「んっ」

その強すぎる感覚に思わず声を漏らしてしまう。

彼の手はてのひらで乳房全体を包みながら、執拗《しつよう》にこりこりと乳嘴《にゅうし》をなぶりつづけた。

その一方でユリアネの耳を舐《ねぶ》り、舌を差し込んでくる。ぐちゅぐちゅという水音にとても正気ではいられない。

彼がもう一方の乳房も同様に愛撫しはじめたころには、ユリアネは声をこらえるだけで精いっぱいになっていた。

「何だ。他愛《たわい》もない」

そう冷たく言って、ゲルハルトは腰を捕えていた手でユリアネの寝巻の裾を捲《まく》り上げた。太ももからお尻までが露わになってしまう。彼は左手でユリアネの腰のくびれあたりを押さえつけ、右手を前に伸ばしてきた。

「あ――」

これまで誰も触れさせたことのない場所に、彼の手が届いていた。

和毛《にこげ》をかき分けた指先が、花唇を下から上になぞりあげる。それは優しいほど繊細な手つきで、彼が手馴れていることを示していたが、ユリアネにはそんなことはわからない。

「や、いや、そんなところ……っ」

ただ、排泄《はいせつ》をするための場所を触られたことが恐ろしくて恥ずかしくて、さっきまで感じていた快楽の萌芽《ほうが》が吹き飛んでしまうほどだった。

「あッ」

指先がある場所をかすめた瞬間、ユリアネはびくりと身体を揺らした。全身に初めての感覚が走る。

「いいんだろう」

彼はユリアネの反応に目ざとく気づいたようだった。指の腹がその柔らかい蕾にそっと触れ、ゆっくりと転がすように軽く撫でる。下から上に、上から下に、何度も往復した。

「やあ、あ、あぁ……っ」

だんだんとそこは充血してふくらみ、芯をもってひくつきはじめた。すると、彼は指を割れ目に伸ばし、何かを確かめる。ぬるりという感触がそこを撫でた。

「濡れてるじゃないか」

ゲルハルトは喉奥で笑った。

ユリアネの秘所は、花芯をねんごろに愛撫されて、しっとりと蜜を溢れさせていた。彼はその雫を掬《すく》い取って、ぷっくりとふくれた芽のような部分に塗り付ける。

「あぁ、いやぁ、だめ……っ」

濡れた指で撫でられるのは、それまでの数倍の快感をもたらした。慎重な指先は莢《さや》をゆっくりとめくりあげ、その奥にあるいっそう敏感な小さな突起を暴いた。

「ひっ……」

冷たい吐息をかけられたような気がして、ユリアネは腰を揺らした。その動きを意にも介さず、彼は秘めたところを的確にとらえ、十分に濡らした指の腹で押さえて揺さぶった。

「あ、あっ、んっ――」

腹の下から全身に向かって、快美な感覚がほとばしる。ユリアネは長椅子の背もたれに縋りつき、その初めての快楽を何とかやり過ごそうとした。

なのに、彼の手は容赦なく振動を与え続けてくる。

ユリアネはきつく目をつぶった。閉じた視界がちかちかとして真っ白になる。もう、気持ちがいいということしか考えられない。

「あ、やっ……あっ……、あ――っ」

今まで想像もしたことのない衝撃があった。

彼の身体の下で、糸を引くような声を上げ、ユリアネは喉を仰のかせた。びくびくと背をのたうたせる。身体の芯がとろけて流れ出すような疲労感があった。

吐息だけでゲルハルトは笑った。

「……淫乱」

ユリアネは、冷や水を浴びせられたように目を見開き、身を震わせる。

視界が潤み、揺れた。ぎゅっと目をつぶると、まなじりから熱い涙がこぼれた。

どうして、彼はこんなことをするのだろう。

自分のことが憎いなら、触れなければいいのに。

浅い呼吸を繰り返していると、覆い被さっているゲルハルトが動く気配があった。ようやく解放してもらえるのだと身体の力を抜いた瞬間、大きな手にがっちりと腰を掴まれ、長椅子の座面に身体を押し付けられた。

そして、さっきまで嬲《なぶ》られていたところをさらに下に辿り、ぬかるみに指を差し込まれた。

「どろどろじゃないか」

「や、やっ……」

「何が嫌だ。初心《うぶ》なふりもたいがいにしろ。ほら」

長い指が内壁をこすり立てた。ユリアネは違和感に首を仰《の》け反らせる。

「もう、欲しがっている」

逃れたがるユリアネの肩を顎で押さえながら、指を引き抜いたゲルハルトはおのれの衣服をくつろげる。花弁に、何か硬いものが押し付けられた。

「……くれてやる」

宛《あて》がわれた先端が、ぐっと入り込んでくる。

「ひっ……」

ユリアネは思わず息を詰めた。

強張った下肢を引き裂いて、楔《くさび》が奥へ突き進んでくる。

「いたい、や……っあ――」

身の内から灼《や》き尽くされるような熱さだった。ゲルハルトは腰を揺すり立て、ユリアネのその場所を割り開いていく。呼吸するたびに蜜口が頬張ったものを締めつける。

「……やめ、やめて……っ、許してえ……」

あまりの苦痛に我を忘れ、子どものように泣いていた。逃げたくて長椅子にしがみつき、爪を立てる。床についた膝がぶるぶると震え、もう身体を支えることができない。

座面に顔を押し付け、少しでも痛みを和らげようとするのに、彼はさらに深く重なってくる。

泣き濡れた声で懇願した。

「も、……ゆるし……、お願い……」

ようやく全てを収めたゲルハルトが、ふと言葉を漏らした。

「おまえ――」

彼がゆっくりと身を引いた。何かを確かめたらしく、小さく呻いた。

「初めてなのか」

ユリアネはもう、問いかけられていることにさえ気づかない。ただこの理不尽な蹂躙《じゅうりん》をやり過ごすだけで精いっぱいだった。

答えがないことをどう受け取ったのか、彼は短く舌打ちする。

「やめられるわけがない。いまさら……」

ゲルハルトはゆっくりと律動を始めた。

「ん、んっ」

背で熱く重い男の体躯を受け止め、ユリアネは揺さぶられるまま、唇を噛んで声をこらえる。

結合した部分からぐちゅぐちゅと水音が聞こえた。絨毯につかされたままの膝がひどく痛む。

「ンッ、やっ、あ……、あっあ……！」

抽送がひときわ激しくなった。そして僅かに身震いして、ゲルハルトがユリアネから離れる。

「――っ」

ふとももに生温い何かがかけられた。

その感触に眉を寄せ、ユリアネは指一本動かせないまま長椅子に身を預ける。

もう二度と、無垢には戻れないのだということを思い知らされながら。


ユリアネはそのまま疲れ果てて眠ってしまっていたようだった。

柔らかい場所に寝かされていた。うっすらと目を開けると、見覚えのない天井が見える。天井ではなく、寝台の天蓋《てんがい》だった。

はっとして身を起こそうとするが、全身に軋むような痛みが走り、寝台の上に突っ伏してしまう。

「……っ」

うつぶせのまま辺りをうかがうと、やはり、そこは見知らぬ部屋だった。

家具は、天蓋付きの一人用の寝台、卓と椅子、それから小さな化粧箪笥がひとつ。壁は灰色の石で、外に続く扉は一つ。紺色のカーテンの向こうから細い光が漏れていた。

時刻は朝方と思われた。

意識をなくしている間に、知らない場所に連れてこられてしまったようだ。

（ああ、そうだ……）

夜更け、ゲルハルトが館にやって来て、ユリアネの母とその愛人だった侯爵が死んだと告げた。そして、自分はゲルハルトの怒りを買って、居間で乱暴されてしまったのだ。

萎《な》える手足を叱咤して起き上がり、転がるように寝台から下りる。床の上にしゃがみこんだ格好のまま、おのれの身体を見下ろす。いつの間にか着替えをさせられていたらしい。纏っているのは、自分のものでない真っ白な寝巻だ。おそろしく手の込んだレースと刺繍で飾られており、手触りから素材は絹とわかる。

母の死も、この身に起こったことも信じられず、思わず顔を両手で覆う。

そのとき、扉の向こうから足音が近づいてきた。

ユリアネは、はっとして顔を上げた。

内開きの扉が静かに開かれる。身を滑らせるように入ってきたのは、ゲルハルトだった。

昨晩の乗馬服の上に外套を纏っていた姿とは違い、シャツにクラヴァット、細身のトラウザーズを合わせた格好だ。

彼はユリアネが目を覚ましていることに気づいて、少しだけ眉を寄せた。

「気がついたのか」

ユリアネは無意識のうち身を強張らせ、おのれを抱くように腕を引き付ける。

歯の根があわず、ただ瞬きを忘れたようにゲルハルトを見つめていることしかできない。

昨晩、ユリアネは彼に陵辱された。

いやだと言っても聞き入れられず、純潔を奪われてしまった。愛撫されて快楽を覚えるユリアネを彼は嗤い、淫乱と呼んだ。

怯えたようなその様子が鼻についたらしく、彼はユリアネまであと数歩というところで立ち止まると、傲岸な表情で顎を上げた。形の良い薄い唇が開かれる。

「おまえを、この城で囲うことにした」

平静な声音で彼は言った。

ユリアネはその意味をはかりかね、しばらく押し黙っていた。沈黙が部屋に満ちて、耐えきれない重さになる。おそるおそる声を絞って反芻《はんすう》した。

「……囲う……？」

「面倒をみてやると言ってるんだ。愛人として」

父がおまえの母にしたように。

言い足された言葉に、胸がかっと熱くなる。

物心ついたときから父はいない。信じたくはないけれど、母もおそらくは亡くなってしまい、帰る場所もない。おまけに無理やり操《みさお》を汚され、傷物になってしまった。

「そんなこと……」

きつく唇を噛み、俯く。立つ瀬のない侘《わび》しさと、何もかも失ってしまったという途方もない虚無感が胸を支配する。

あの痛く苦しく、恥ずかしい行為の代償にお金をもらうなんて、信じがたい汚辱《おじょく》だった。母はどうしてそんな立場で居続けたのだろう。ユリアネなら絶対に耐えられないと思う。

「そんなこと、許されるはずがありません……」

ユリアネは眉をひそめ、首をうち振る。

彼が酷薄そうな笑みを浮かべた。

「身寄りもない、まともな幸せも望めないおまえに、他にどうやって生きていく方法があるというんだ？」

「な……」

「おまえの母親が侯爵家に寄生していた分、私がおまえで楽しんで何が悪い」

ゲルハルトが無遠慮に歩み寄って来て、ユリアネを寝台の上に抱き上げる。ユリアネはあまりの恐ろしさに、その腕から逃れて寝台の背もたれに身を押し付けた。

大きな手が伸びてきた。顎を掴まれ、上向かされる。

黒い瞳と、ひたと視線が交わった。

「――いずれ飽きたら自由にしてやる。それまでせいぜい私を慰めろよ」

言い捨てて、彼はユリアネの肩を突き放す。そして、懐から何か取り出したかと思うと、寝台の枕元に放った。白い敷布の上に小さな金貨が一枚転がる。

「一晩寝たら一枚やる。おまえの母親も、そうして私の父に金貨をねだっていたそうだ」

「うそ……、そんなの……」

「嘘なものか。そうやっておまえを養っていたんだろう？　おまえも少しは利口になれよ。大人しく言うことを聞いていたら、あの老婆も悪いようにはしない」

「……パウラのこと……？」

ユリアネははっとして思わず呼んでしまう。

「今どうしているんですか。ぶじなのですか……？」

最後に彼女の姿を見たとき、パウラはゴルドーという男に拘束されていた。むごい目に遭わされてはいないだろうか？

「あの館に留めている。おまえの心がけ次第で、いずれ城下に住ませてやってもいい」

「わたしがここにいることを知っているんですか？」

「ああ。おまえのことは私が世話をしてやると言い置いて来たからな」

　ということは、パウラは、ユリアネがゲルハルトに辱められ、愛人にされるだろうということを知っているのだ。彼女は母の身の上を悲しみ案じていたのに、ユリアネまでも同じ立場になってしまったことにどれほど心を痛めているだろう。

「教えてください」

　ユリアネはからからに乾いた喉から声を絞り出す。

　ゲルハルトがさめた目で見下ろしてくる。

「母は、本当に、死んでしまったのですか……？」

　彼はぴくりと片眉を上げ、眉をひそめた。

「疑うのなら、その目で確かめるといい。あれが使っていた部屋がそのままになっている」

　そう言い放ち、ゲルハルトはユリアネから離れた。そして、踵《きびす》を返し、部屋を出て行ってしまった。

　入れ替わりに扉が叩かれ、応じる間もなく開かれた。

　現れたのは背の高い中年の女だ。髪をきっちりと結い上げ、首元まで詰まった黒色のドレスを着て、その腰に鍵の束を下げている。喪《も》に服《ふく》している格好だ。

「入りますよ」

　その女性は見かけのとおりに硬い声で言って、足音を立てずに寝台に近づいてきた。茫然としているユリアネを静かに見つめる。

「わたくしはこの城の家政婦になったミューエです」

家政婦とは、大きな城や屋敷などの家政を取り仕切る女性使用人の長をいう。

「旦那さまよりあなたの世話を言いつかりました。まずは朝食をとってください。その後、この城の内部を案内します」

抑揚《よくよう》のない声だったが、微かに震えているのがわかった。ユリアネの存在を歓迎しておらず、この部屋にいること自体を不本意に思っていることは明らかだ。

「あなたの母親の部屋にも連れて行ってあげましょう」

そうミューエが言うや否や、彼女の背後の扉が開かれた。下女が食事の盆を掲げて入室してきて、卓の上に料理を並べていく。

朝食は焼いたパンやサラダ、卵にスープなど豪華なものだった。

けれど、食欲など少しもわかなかった。何も口にしたくないし、これ以上ここにいたくもない。

漂ってきたスープの匂いが鼻につき、喉元に吐き気がこみあげる。

「うっ……」

ユリアネは思わず口元をおおった。唇を噛み、背を丸めてこらえようとするが、えずきは波のように襲ってきて、いつまでもおさまらない。涙が溢れてきて視界が歪む。

ミューエが驚いたように近づいてきた。

「どうしました」

　彼女はユリアネの背中を撫で、宥めながら下女に命じる。

「盥《たらい》を持ってきなさい。料理を下げて、代わりに水を」

　遠くに、下女が駆け去ってゆく足音を聞きながら、ユリアネは家政婦の腕の中で震えていた。

　何度か吐き戻したあと、水を飲んでしばらく寝ているよう言われた。

　しかし、ユリアネには、疲れ果てていても、何も食べることはできなくても、見ておかなくてはいけないものがあった。

「もう大丈夫ですから、母の部屋に連れて行ってください」

「なりません。寝ていなさい」

　取り付く島もない様子のミューエに、ユリアネは懇願した。

「お願いします……」

　縋りつくユリアネに何を思ったのか、ミューエは溜息をつくと、ユリアネにガウンを着せて、その部屋から連れ出してくれた。部屋は城の三階の北部分にあり、周囲は空き部屋だらけだという。

　城の廊下では、同じ黒いお仕着せを着た使用人が何人も慌ただしく行き交っている。みな先代侯爵の喪に服しており、ミューエに連れられたユリアネの姿を見ては、足を止めたりひそひそ声で話したりした。

母の部屋は、二階の西側にあった。城主の居室の近くらしいが、転落事故の後は鍵をかけられかたく閉ざされているということだった。

「ここです」

腰から下げた鍵を錠に差し込み、扉を開けながらミューエが言った。

「お入りなさい」

ユリアネは、おそるおそる足を踏み入れる。

白い壁紙に深緑色の絨毯。がらんとした広い部屋の中央に、大きな天蓋付きの寝台が鎮座していた。寝台は飴色の木で造られ、紫色の布で覆われたたいそう立派なものだったが、今は寝具が取り去られて使えない状態になっている。壁沿いには揃いの化粧簞笥が並んでいた。

向かいの壁際には両開きの掃《は》き出し窓があり、露台に続いているようだった。

「……母は、ここで暮らしていたのですか？」

振り向いてミューエに問いかけると、彼女は無言で首肯《しゅこう》した。

「母が落ちたという場所は……？」

尋ねると、ミューエはユリアネの側を通り過ぎ、掃き出し窓を開けた。その向こうには黒い海が見える。

ユリアネは萎えそうな足で絨毯を踏みしめ、一歩ずつミューエに近づいた。

「足元に気をつけなさい」

ミューエの注意にうなずいて、石造りの小さな露台に立った。

見下ろした足元は、切り立った崖《がけ》だ。黒く塗りつぶされた海に細く白い波が浮かんでは消えてゆく。波濤《はとう》が岩壁にぶつかるたびに、不気味な波音が聞こえた。

「この海に落ちたのですね……」

水面までは相当な高さがある。ここから落ちたのならば、決して助かるまい。

秋の風がユリアネの髪をなぶる。ユリアネはきつく目を閉じた。

瞼の裏に、自分と同じ色の髪の母が、この黒い海に沈んでいく様子が思い浮かぶ。

その華奢な身体はきっとあっという間に波間に消えてしまっただろう。

ユリアネが呼んでも声は届かず、手を伸ばしても摑めないところに、行ってしまったのだ。

くちびるを動かして、吐息だけで母を呼んだ。

ぽろぽろと温かいものが頬を滑った。

気がついたら、ユリアネは声もなく泣いていた。嗚咽《おえつ》さえわいてこない。

ただ目の奥からとめどなく涙がこぼれた。

どれほどそうしていたのか。

寝巻の袖で顔を拭ったユリアネは、首を巡らせ、ミューエを見上げた。

「あの、母の荷物の中に、紫色のリボンがありませんでしたか？　刺繍の道具は……？」

真っ赤な目をしているだろうユリアネに眉を寄せながら、彼女は小さく首を振る。

「なかったと思います。荷物はほとんどが衣類……それも寝巻でした。都の侯爵邸でも、この城でも、寝室で暮らしていたようですので。あなたに着せたそれも、ここから見繕《つくろ》ったものですよ」

ユリアネは、おのれの胸元を見下ろした。

母は、ユリアネのリボンをずっと大切に身に着けると言ってくれていたのに。

「寝室で過ごしていたのは、病気だったからですか？」

ミューエは小首を傾げる。

「さあ、病気だったという話は聞いたことがありません。医師が出入りしていたということはありませんでしたから」

「病気じゃなかった……？　それは……」

「残念ですが、わたくしは事故があった後にここに呼び戻されたばかりですから、詳しいことは承知していません。この城の使用人たちに聞いても同じでしょう。あなたの母親はほとんど誰にも会わず、亡き旦那さまに手ずから身の回りの世話をさせていたようですから」

ミューエは少し嫌味をこめた口ぶりで言い、もうユリアネの問いには答えなかった。

「あなたの身の上は少しばかり気の毒だとは思いますが、あなたの母親はこの侯爵家に住み着いて害を為した存在以外の何物でもありません。父親も同様」

彼女は冷たさに苛立ちを隠した口調で言い継いだ。

「父……？」

ユリアネがその言葉を繰り返すと、ミューエはユリアネをつま先から頭まで睥睨する。直感的に、彼女が何かわけがあってユリアネたちを厭《いと》っているだろうことが察せられた。なぜなのか、想像もつかないけれど……。

「自分の父親がこの海に身を投げたこと、知らないわけでもないでしょうに」

ユリアネは冷や水を浴びせかけられたように身を強張らせた。しかし、扉の方に顔を向けていたミューエは気づかなかったようだ。

「旦那さまがあなたを連れてきたのも、あんなことがあったためにご心労が重なっての気の迷いでしょう。落ち着かれたら正気に戻られるかもしれないし、もしもお戯《たわむ》れが続いたとしても、旦那さまが奥様をお迎えになるまでのいっときのこと。本当は、少しでも早く目を覚ましていただきたいけれど……」

彼女は溜息をついて振り返り、横目でユリアネを見る。

「とにかく、この城にはあなたのことを快《こころよ》く思う者がいないということを弁《わきま》えて、おかしな考えは起こさないことです。その限りでは悪いようにはされないでしょう。旦那さまのお呼び出しがあったらすぐに応じられるようにしておきなさい」

ひとつひとつ言い含めるように告げられ、理解できないまま茫然とうなずくしかなかった。

「食事をとれるようになったら、仕立て屋を呼びます。着るものを作りなさい」

その言葉にユリアネは顔を上げた。

母のものだったという部屋を見回し、ミューエに尋ねる。

「……母の荷物は、どうなるのでしょう……？」

「捨てることになるでしょう」

母が手を触れたものが一つでもあるのなら、少しでも長く側においておきたかった。母を偲《しの》ぶよすがを、もうユリアネは持たなかったから。父のものが何一つ残されていないのならばなおのことだ。

「寝巻だけでも、わたしがいただいてはいけないでしょうか」

思い切ってそう告げると、ミューエは片眉をぴくりと上げた。

「その……、新しいものを仕立てていただく手間が省けるので」

そっと言い足すと、彼女は短く返答する。

「――考えておきましょう」

ミューエは足早に外に向かって歩き始めた。ユリアネもそれについて廊下に向かう。

最後に一度だけ、父と母が落ちたという海を振り返った。

けれど、もう、まぼろしさえ見えなかった。

3　夜伽《よとぎ》の対価

秋が終わり、冬が訪れ、ユリアネは十六になった。

週に一、二度の頻度でゲルハルトの呼び出しがあるたび、ユリアネは長い廊下を渡って彼の寝室に赴《おもむ》いた。その帰りに金貨を持たされて帰ってくるということの繰り返しだ。

安息日には、人目を忍んで教会に通った。ひそかに待ち焦がれていた誓願式はお流れになってしまい、再び一年かけて準備をすることになってしまった。

城の使用人たちも、教会で出会う城下の人々も、そして教会の司祭も、突然城に住み着いた異質な女を遠巻きに見た。

母の存在も、侯爵の事故死――表向きは、あくまで事故死ということになっていた――も、領内の住民に広く知れ渡っていたのだ。

ゲルハルトは、この地で生まれ落ちた瞬間から、領民に愛され、尊敬されていた。

先代の侯爵夫妻の一人息子、いずれ領主になる貴公子という立場ゆえだけではない。幼いころから勉強も鍛錬も怠《おこた》らず、礼儀正しく、誰にでも公平に接しているからだ。

良家の生まれながら気取らず、愛情深かったという侯爵夫人を慕う者は、城の内外を問わず多い。夫人は慈善活動に熱心で、孤児院や施療院《せりょういん》への寄付や慰問《いもん》を亡くなる直前まで続けていたらしい。侯爵夫妻の夫婦仲も、ユリアネの母が現れるまで周囲が羨むほど良好だったという。

ユリアネの母が都でも城でも侯爵に付き添うようになった数年後、ある出来事をきっかけに、侯爵夫人は侍女のミューエを連れて侯爵とは別居してしまったらしい。

親が恋しい年頃に母と引き離されたゲルハルトを、誰もがいたわしく思っていたという。

人々はユリアネを、母娘揃って領主を誘惑し堕落させる魔女と呼んでいるらしい。

しかし、表だってユリアネを排除することはゲルハルトの手前できないのか、嫌がらせはあっても、聞こえよがしに陰口を言われたり、教会で意地悪をされたりがせいぜいだ。

ユリアネがここで暮らすことを消極的に受け入れたころ、ミューエが部屋に侍女と下女をつけようと言ってくれた。

ユリアネはその申し出を、おおよその身の回りの世話は自分でできると言って断ろうとした。恥ずかしい境遇にある自分を、間近な誰かに知られることが恐ろしかったのだ。

しかし、洗濯も湯沸《ゆわか》しも自分でするなど正気の沙汰《さた》ではない、ゲルハルトの名誉に関わる、ときつく叱られてしまい、最低限の用意は人に任せることで折り合いをつけた。

鍵穴を潰して嵌《は》め殺《ごろ》しにした窓の部屋で鬱々と過ごすユリアネだったが、喜ばしい出来事もあった。

　ゲルハルトが、ユリアネが従順に仕えていることの褒美に、パウラを城下に呼び寄せ、住処《すみか》と年金を与えてくれることになったのだ。

　パウラは、館から持ち出した裁縫道具や外出着を人伝に届けてくれた。また、安息日のミサの帰りに彼女の家に寄り、短時間で見張り付ではあるが会って語らうことも許された。

　ユリアネはどうしても、父がこの城で死んだということについてパウラに問いただすことができなかった。パウラは父の育ての母だった人だ。真相を知らないはずがないだろう。でも、とても恐ろしい事実が待っている気がして、知らないふりを続けるしかなかった。

　同時に、ユリアネは愛人としての逃れられない立場を再び思い知らされることになった。自分がゲルハルトの意に反することをしたり、逃げだそうとすれば、パウラに累《るい》が及ぶことになったからだった。

　年が明けると、ゲルハルトは都での務めのために王都に旅立った。

　彼は、元々幼い世継ぎの王子の守役《もりやく》を務めていて、その両親である国王夫妻の信任も厚く、この国で将来を嘱望《しょくぼう》されている青年貴族のうちの一人だ。さらに今年は、不審な亡くなり方をした父侯爵の跡を継いだ初めての年ということもあり、多忙を極めていたという。

　その半年の間、彼は月に一度、一泊ほどしか城には滞在しなかったが、ユリアネはその日が嫌で嫌で仕方がなかった。宵の口から部屋に呼び出され、明け方までさんざんもてあそばれ、くたくたになってしまうからだった。

ゲルハルトを受け入れさせられ、引き裂かれるような痛みを味わったのは初めての晩だけだった。二度目以降、ゲルハルトは慣れた手つきでユリアネをなぶり、押し入ってその身体を愉《たの》しんで、甘い悦楽とともに睦言《むつごと》と聞き紛うような罵《のの》りを浴びせた。ユリアネが、やめてほしい、もう辛いのだと訴えても聞き入れられることはなかった。

春から夏にかけての社交の季節が終わると、ゲルハルトは再び領地の城に滞在することになる。

五日前に帰還した彼は、その晩の別れ際にユリアネに告げた。

婚約を発表する、と。

相手の姫君は、東方に領地を所有する伯爵家の令嬢という話だった。亡き父侯爵が後継ぎの夫人としてふさわしい人物を選《え》りすぐり、縁談をすすめていたのだという。婚約の発表は、本来ならば相手の令嬢が誓願式を終えた昨年の秋に行われるはずだったが、延期されていた。言うまでもなく、先代侯爵が亡くなったためだ。

来月の喪明けを前にして、彼は明日、姫君を迎えに行くためにこの城を出立する。

今晩、ユリアネは思いがけない呼び出しを受けていた。

慌てて腰湯を使って身を清めたユリアネは、洗い立ての寝巻を纏い、ガウンを羽織る。燭台《しょくだい》を手に自室を出た。

既に陽が落ちた後の城は、諸所《しょしょ》に灯りが点されているものの、とても暗い。

ゲルハルトの部屋へ行くには、海に面した石の回廊を通ってゆかねばならなかった。秋の潮風に吹かれながら、ユリアネはゆっくりと歩を進める。

ふと空を見上げると、月は半月になっていた。いっそう強くなった風に首を竦《すく》めた瞬間、燭台の蝋燭の火が吹き消されてしまった。

ほのかな月明かりを頼りに、ユリアネは主の待つ部屋へと急ぐ。

いつものように侍従の控える前室を通り、寝室の扉を叩いた。

入れ、と短い声が聞こえた。ユリアネはそっと扉を押して入室する。

「失礼します――」

寝台の側の椅子に足を組んで腰かけ、ゲルハルトは本を読んでいた。

入浴を済ませた後のガウン姿で、いつもは後ろに流している前髪が秀でた額にかかり、印象が異なっている。目元が翳っているためか、少し疲れているように見えた。

彼はユリアネを横目で一瞥《いちべつ》し、本を閉じて卓の上に置く。その横に布のかかった盆が二つ載せられていた。ユリアネには見覚えのないものだ。酒の支度でもさせているのだろうか。

「随分と遅かったな」

静かな声で咎められ、ユリアネは目を伏せる。

「……申し訳ありません。お呼びをいただくとは思っていなくて……」

彼は、明日、遠方に出かけることになっている。まさか伽《とぎ》を命じられることはないだろうと安堵しきっていたのだ。

言い訳じみたことを言いたくはなかったが、部屋付きの侍女たちが責められてしまうかもしれないと思えば、ユリアネの不行届きを明らかにしていたほうがいい。

「ふうん。なぜだ？」

おかしそうに目線を上げたゲルハルトに問われ、ユリアネは自分の答えが彼の気分を僅かなりと害したことに気がついた。

小さく息を呑み、声を振り絞る。

「明日のお仕度のために、忙しくしていらっしゃると思っていましたので……」

「へえ。おまえが婚約のことを思案しているとはな。おまえの母のせいで一年日延べすることになったのだから、当然か」

立ちつくすユリアネに焦れたのか、彼は無言で顎をしゃくる。寝台に上がれという合図だった。

今夜はひどいことをされるだろう。その予感に心が沈んだ。

ユリアネがのろのろと寝台に上がると同時に、彼がゆっくりと立ち上がる。その大きな手が、卓上の盆にかかっていた布を取り去った。

一つには赤葡萄酒のデカンタとグラスが、もう一つには小壜《こびん》と細長い小箱が載せられている。

ゲルハルトは小箱を手にすると、ユリアネの足元に無造作に放った。

「中を見てみろ」

ユリアネはゲルハルトの表情を窺う。彼は寝台の端に腰かけて、暗い愉悦《ゆえつ》の笑みを浮かべていた。

「おねだりもしない愛人に、心ばかりの贈り物だ」

彼の言葉通り、ユリアネは衣服も宝石も欲しがったことがない。

ゲルハルトはからかうような口調で、欲しいものがあれば何なりと言え、ねだってみせろ、と嗤う。

ユリアネには、欲しいものなどなかった。日々の食事や日用品は与えられており、情事のあとに渡される金貨も使い道がなく持て余《あま》しているほどだ。

彼のその挑発に応じて、身体を売る対価に身の程に合わない贅沢をすることを覚えてしまったら、いよいよ心が薄汚れてしまう気がして、かたくなに固辞していた。

ゲルハルトは、そんなユリアネを面白く思っていないようだった。

無言で促され、ユリアネはそろそろと小箱に手を伸ばす。箱はユリアネの手に収まり切れないほどの長さで、見かけよりもずっと重い。蓋を開けて中の布包みを取り出し、おそるおそる包みを解くと、中のものが現れた。

それは黒い陶器でできていた。ユリアネの親指と人差し指がやっと回るほどの太さの棒のようなもので、片方の端が大きく張り出している。

「……ッ」

何を象ったものなのか気づいて、思わず手の中のそれを取り落とす。

「乱暴に扱うと割れてしまうぞ」

ゲルハルトが喉で笑う。

「東方の品を扱う商人が贈って寄越した。使って見せろよ」

ユリアネは、足元に転がるおぞましいものから必死で目を逸らす。

「……い、いりません、こんなもの……」

身を縮め、後退《あとずさ》って、少しでもそれから離れようとした。

箱の中身は、男根を模したものだった。もはや処女《おとめ》ではないユリアネがその用途を想像するのは難《かた》くない。使って見せろとは、すなわち、この黒光りする大きなもので自分を慰めろということなのだろう。

「つまらない女だな」

ゲルハルトは鼻白んだように小さな吐息をつく。

「仕方ない。その代わり、これで勘弁してやる」

そう言って、ゲルハルトは盆の上の小壜をつまみあげた。寝台の上に乗り上げてくると、その蓋を開けユリアネに差し出した。

中身は、薄橙《うすだいだい》色のどろっとした液体だ。

ユリアネは警戒心を隠せず、手をひっこめたままだった。

「自分で塗って、受け入れる支度をして見せろ」

小壜の中身を身体の奥に施せと言っているのだ。

その露骨な物言いに、ユリアネの頬に朱がのぼる。ゲルハルトの手元からさっと顔を背けた。

「そんなこと……っ」

「できなければこちらを使うぞ。自分で好きな方を選べ」

彼は言いながら、大きな張形《はりがた》を手に取って小壜と見比べている。

ユリアネは途方に暮れて、自分の膝のあたりで視線をさまよわせた。

これは、小癪なことを言ってゲルハルトの機嫌を損ねた罰なのだろうか。

顔を両手で覆ってしまいそうになり、ぎゅっと拳を握って堪えた。泣いたり縋ったりしたら、なおいっそう彼の不興を買うだけだ。それに、この一年の間で、やめてほしいとか、許してほしいというお願いをして、叶えられた試しがない。

目頭がじんわりと熱くなった。

おそろしい玩具を使わされるのも、神の禁じる自慰を命じられるのも、ユリアネが彼の愛人だからだ。彼との閨での行為には愛情など介在しないから、互いを大切にする必要などないから、存分に背徳の行為を試すことができるのだ。

ユリアネとゲルハルトが顔を合わせるのは、ほとんどが夜、場所は彼の寝室だった。幾つの夜を数えても、心の通う会話などない。彼の快楽に仕える方法は教え込まれていても、温かな抱擁《ほうよう》やくちづけは知らない。

ユリアネは、ゲルハルトが優しい少年だったことを知っている。彼は、ミューエをはじめとした城中の人々に素っ気なくも公平に接し、とても敬《うやま》われている。特に子供には寛容で、たいそう慕われている。

彼が嫌っているのは、ユリアネだけだ。

こんなことを続けていたら、いつか心が凍えてしまう。

でも、そうやってしか生きていくことができない。

ユリアネはおそるおそる目を上げて、ゲルハルトの手にしている二つの忌《い》まわしい贈り物を見つめた。張形はおぞましくて正視に耐えない。触れるのも嫌だと思った。

ユリアネが手を伸ばして小壜の方を受け取るのを、彼は興味深そうな目で見下ろしていた。

「見ていてやろう」

ゲルハルトが寝台の支柱に背を預けて腕を組む。

そしてユリアネに、寝台に横たわり、自分で小壜の中身を秘所に塗《まぶ》すよう命じた。

「どうしたら……？」

「いつも、私がしてやっているようにすればいい」

ユリアネはのろのろと敷布の上に身を横たえる。小壜の冷たい内容物を手に取り、申し訳程度に両脚を開いた。

「……ん……」

ぎゅっと目を閉じて、寝巻のはだけた裾から指を差し込む。

ひんやりと冷たい感触が花核を包んだ。

入浴するとき以外には、自分で直に触れることなどない場所だ。なのに、ゲルハルトは巧みな指でユリアネの泣き所を探り当て、触れるか触れないかの手つきで翻弄《ほんろう》する。そして、あっという間に追い上げ、感じたことを恥じるユリアネを笑うのだ。

「どうだ？」

問いかけられ、ユリアネはうっすらと目を開ける。

彼は赤葡萄酒《ぶどうしゅ》をグラスに注ぎながら、からかうような表情をしていた。

「きもちわるい……。冷たい、です」

「よく練って温めろ。おまえのいいところの上で」

ユリアネは溜息をつき、促されるまま、ぬめりを帯びた指でまだ柔らかい肉の粒を転がした。

「んっ」

ぴくんと腰が跳ねる。冷たくても、身体が刺激に反応してしまう。じんわりと肌が熱を帯びていった。

「続けろよ」

命じられて、ユリアネは指を動かし続ける。円を描くように撫で続けると、次第にそこが芯をもって立ち上がってきた。甘い痺れがその場所を中心にして全身に広がっていく。

「膝を立てて、見せてみろ」

低い掠れ声が囁く。

ユリアネは逆らうことができずに、そろそろと少しだけ足を開いた。

「ん……」

その間も、気持ちがよいのを途切れさせたくなくて、指を止めることができない。自分を慰める後ろめたさと、それを余さずゲルハルトに見つめられているという恥ずかしさに頬が火照《ほて》る。

「あ、やぁ……」

粘っこく指を上下させていると、膨れた莢に隠れている敏感な突起に触れてしまい、びくっと身体を揺らしてしまう。凄まじい刺激だった。じんじんとした甘痒さが次から次から襲ってきて、もっともっとと身体が求めた。

「いや……、これ……」

腰を揺らしながら、ユリアネはやっとのことで言う。自分の反応が信じられなかった。

「いやではないだろう？　気持ちよさそうだ」

存外に柔らかな声音でゲルハルトは問いかけ、ユリアネの顔に手を伸ばしてくる。指の腹でそっと頬に触れ、乱れる髪をかき分けて耳に辿りつく。指先が輪郭をなぞる動きがもどかしく、ユリアネは彼の大きな手に子猫のように顔をこすりつけた。

ユリアネはもじもじと膝を合わせる。花核への刺激が内部を疼かせていた。

「ほら、内側にも塗ってみるといい」

深い、誘惑するような声だ。

彼の空いたほうの手が小壜を取り上げて、ユリアネの指先に中身を滴らせる。

冷たい感触に震えたものの、ゲルハルトが許してくれたので、素直に手を伸ばして入り口に触れた。柔襞をかきわけて肉壁に指を差し込む。

「あっ――、あ、ん……」

ぎゅうっと蜜壺が指に吸い付いた。滴るものがゲルハルトの零したものなのか、自身が溢れさせているものなのか、もう区別などつかない。ぴったりと脚を閉じたまま、内腿を震わせるしかない。

「ゆっくり出し入れしてみるんだ。腹側のざらざらしたところを押してやったら、おまえはいつも喜んでいるだろう？」

言われるがままに、指の腹でその場所を押し上げた。そこから糖蜜のような快楽が滲みだして、腰骨、つま先、脳天までじわじわと侵《おか》されていく。

「いや、やぁ、だめ……」

触られてもいないのに、寝巻の内側で乳房の頂が硬く立ち上がっているのがわかった。

「だめ、こんなの、だめ……っ」

言葉では拒みながらも、指を止めることはできない。

「……や……っあ――！」

内壁をこすりたてる自分の指と、時折てのひらが淫核《いんかく》に触れる頼りない刺激。たったそれだけで、ユリアネははしたなく果ててしまった。肌が粟立《あわだ》ち、びっしりと汗が浮かぶ。

なのに、余韻《よいん》が去らないどころか、くわえこんだ指だけでは足りないと蜜肉がひくつき、奥へ奥へと誘い込む。自分ではどうにもならない状態に、ユリアネは身を捩《よじ》らせながら涙を浮かべて男を見つめた。

頭上から呆れたような声が下りてくる。

「素晴らしい効き目だな」

濡れた視界の中に、秀麗な彼の顔が映る。薄い唇に苦笑が浮かんでいる。

「壜《びん》の中身は媚薬だよ。淫蕩《いんとう》なおまえに使ったらどうなることかと思っていたが……」

ゲルハルトの指先がユリアネの頬にこぼれる涙を掬う。

器用な片手が思い出したようにユリアネの首筋を辿って、寝巻の釦《ボタン》を外していく。

そのささやかな感触と衣擦れの音にも感じてしまい、ユリアネは声を噛み殺した。

「や……」

気持ちがよくて、そして惨めで、ユリアネは嗚咽を漏らしてしまう。

「こんなの、いや、……」

泣き濡れた訴えも聞き入れず、彼はユリアネの身体の上におおいかぶさってきた。必死で閉じていた脚を彼の膝で割り開かれる。

「嘘をつけ。もっと気持ちよくなりたいだろう。どうしてほしい？」

彼はユリアネの頭を抱えるように寝台に腕をつき、覗き込んでくる。羞恥にユリアネが

顔を背けると、顎を摑まれて正面を向くよう戻される。

ゲルハルトの目は常になく熱っぽく、獰猛《どうもう》な色を浮かべていた。

ユリアネは必死で言い募る。

「いやです、とって……。こんなの、洗いたい――」

やっとの思いで指を引き抜き、ゲルハルトの胸を押し返そうとするが、腕に力が入らない。それどころか、空洞になった場所がもっと大きなものが欲しいとひくひく蠢《うごめ》きさえする。

ぎりぎりで正気を手放さない愛人に焦れたのだろうか。彼は小壜をユリアネの身体の上にさかさまに掲げ、とろとろとした媚薬をすっかり腹の上に零してしまった。柑橘《かんきつ》のような芳香《ほうこう》が天蓋の中に広がった。

「あっ」

ひんやりとした液体にユリアネがびくついたのもつかの間、粘液を掬い取った長い指がとろけきった秘裂に押し込まれる。

「や、あぁぁ――っ」

信じられないほど大きな刺激に、そこをきつく締め付けてしまう。締め付けるほどに愉悦が深くなり、媚肉が奥へ向かって彼の指を誘い込んだ。

「はぁ……、ん……、あぁっ」

息をついて緩めた瞬間、どろっとしたそれを中へとさらに流し込まれる。どぷりとした水音に戦慄したのも束の間、硬い指先が媚薬を丹念に柔肉に擦り込む刺激に腰が跳ねた。

このままでは薬のせいでおかしくなってしまう。

「いやぁ、もう、いや……っあ……っ！」

ゲルハルトの指で弱い箇所を円を描くような動きで押し上げられ、ユリアネは二度目の絶頂を迎えた。真っ白な矢が全身を刺し貫くかのような衝撃だった。

なのに、熱は去らず、入り口は絞るように、中はやわやわと揉みこむように指をしゃぶって愛撫を欲している。

「食い締めて、離さないぞ」

彼は名残を惜しむように、びくびくと身もだえるユリアネの深部から指を抜き去る。

「中に欲しいか？」

ユリアネはこくりと喉を鳴らした。自覚のない期待に、秘めた場所が収縮する。

ゲルハルトは、寝台の上に捨て置かれていた張形を探り当て、引き寄せた。

「もうすっかり蕩《とろ》けているから、受け入れられるだろう？」

言いながら、ユリアネの開ききった花弁にその先端を宛がう。円《まる》く張り出した矛先は大きく、冷たい。けれど、媚薬に侵されきった濡襞《ぬれひだ》はきゅんと蕾んで喜んだ。

「や……、ぃや、こわい……」

ゲルハルトが背を丸め、ユリアネの首筋に顔を寄せてくる。そして、耳元に鼻先をこすり付け、直接に耳に注ぎ込むように告げる。

「大丈夫だ、こわくはない」

その驚くほど優しい声に、ユリアネはきつく目をつぶる。まなじりに熱い雫が伝った。

この人は、ユリアネを恨んで、憎んでいる。その腹いせに、身体を思うさま翻弄し、いずれ捨てるつもりだ。優しい声で囁かれることを嬉しいだなんて思ってはいけないのに、一晩のまぼろしでもいいから縋りたいと思ってしまう。

「おまえが乱れるさまが見たいんだ。ほら――」

彼の熱い吐息が耳にかかる。同時に、張形が花弁を割り開いてゆっくりと挿入される。

「いや、あ――」

硬いものがみっしりと蜜壺を埋めてゆく。ユリアネは恍惚《こうこつ》の吐息をついた。

「……や、ん、ん、あぁ……」

最奥まで受け入れると、満たされきった圧迫感で、呼吸もできないほど苦しくなる。

ゲルハルトの手が動き、張形を引き抜こうとする。

彼の乾いた唇が首筋に寄せられ、耳朶を挟む。微かに歯が立てられる。耳の下の柔らかい皮膚に舌が這う。その感触がどれほど心地よいものなのか、ユリアネは生まれて初めて知った。

「ン……」

花唇は、頬張ったものを放すまいとぎゅっと吸い付く。ゲルハルトはぎりぎりまで引き抜き、再び先端で恥骨《ちこつ》の裏の部分を押し上げようとしてくる。

「あ、だめ、ダメ……、そこは……」

「いいんだろう？」

押し上げるとともに、少しだけ強く抉《えぐ》られる。ぐちゅっと水音がした。

「あ、やあ、だめ、だめなのに……っ、ぁあ——っ」

その粘っこい動きに、ユリアネはあっという間に達してしまう。ゲルハルトの腕の中で、胸の鼓動さえ伝わるほど密着しているのに、痙攣を止められず、内壁を苛むものを締め付けた。

「……おねがい、も、だめ……、許し——……」

ユリアネは童女のようにすすり泣いた。

「ゆるして……、もう、おかしくなる……、こわい——」

「おかしくなればいい。自分で動かしてもいいんだぞ」

彼は潤んだ内部を張形で苛み続けながら、逆の手でユリアネの髪をかきあげ、額を露わにする。

「これはいや、こんなの、いや……っあ」

ゲルハルトはきっと、息ひとつ乱さずに、ユリアネの泣き顔を余さずその目に映しているのだ。

涙でぐちゃぐちゃになった暗い視界の中に、彼の瞳を探す。

「ゲルハ……トさま……っ」

震える手で彼の腕を掴む。淫乱と笑われてもいいから、彼自身が欲しかった。

「……おねが……です、……ください……」

息も絶え絶えになりながら、ようやっと口にする。

「抱いてくださ……、なかに、――」

わななく唇が精いっぱい思いつく限りの言葉を並べる。言い終える前に、嬌声がこぼれた。

「あぁ――っ」

「――ッ！」

苛立ったように舌打ちしたゲルハルトが、張形を乱暴に引き抜き、重なってきたのだ。

「んっ」

生身の剛直の熱さは、玩具の比ではなかった。確かな質量が膣肉をいっぱいに押し広げ、ひといきに子宮の入り口まで突き上げる。

「あっ、あ、やぁっ」

ゲルハルトはいつもの余裕のある態度ではなく、箍《たが》が外れてしまったかのような力強さで挑んできた。絶え間ない律動に寝台が激しく軋み、天蓋の中に熱気が籠る。

彼の苦しげな呼吸が聞こえ、その音に耐えがたいほど胸を締め付けられて、ユリアネはぎゅっと目をつぶった。

「あっ、あ……、また――」

甘い衝撃に目の前が真っ白になる。快楽を極めた余韻に浸る間もなく次の波が襲ってきて、意識をさらっていく。

「ふ……ぁ、や、もう……っ」

ゲルハルトはユリアネの腰を持ち上げて、身体を折り曲げる。より深く結合する格好で上からがつがつと穿たれ、その激しさにめまいがした。

しばらく抽送を続けていたゲルハルトが動きを止める。引き抜いてユリアネの腹の上に果てたあと、後ろから横抱きにする格好で再び交わった。

乳房と花芯をたくみな手管で愛撫されながら優しく揺すぶられ、ユリアネはもう何度目かわからないくらい達してしまった。声も出せず、浅い呼吸を繰り返しながら、ひたすら与えられる悦楽に溺れる。

重く熱いゲルハルトの身体に押しつぶされる。

その感覚に不思議な安心感を覚えながら、ユリアネはいつの間にか意識を薄れさせていった。


遠浅《とおあさ》の海にいるような眠りの中で、ユリアネは夢を見ていた。

晴れていた。幼いユリアネは、母と父と手を繋いで町を歩いていた。

母の手は柔らかくてしっとりとしている。

父の手は大きく硬い。

ふたりに挟まれていることが嬉しくて、父母の顔を見上げようと首を巡らす。気づいた父が立ち止まり、ユリアネの髪を撫でてくれる。優しい手つきだ。

けれど、眩しい昼の陽が逆光になり、ふたりの顔は見えなかった——。


ノックの音が遠くで聞こえる。ユリアネはぼんやりと目を開けた。

大きな寝台の中央に、ひとりで寝かされていた。ここはゲルハルトの部屋だ。

返事を待たずに扉が開かれ、ゲルハルト付きの侍女が入室してきた。

「おはようございます」

彼女は、寝台の中で起き上がろうとしているユリアネに短く声をかけ、カーテンを開けはじめる。

「ゲルハルトさまは……？」

ユリアネは、裸の胸元に上掛けを引き寄せながら侍女の背中に問いかける。

彼女は手を止めないまま答えた。

「既に出立なさいました。朝まで起こすなとのご命令でしたので、お起こししませんでした」

　陽はすっかり高くなっていた。

　ユリアネは昨晩、ゲルハルトの腕の中で気を失った後、彼が目覚めた気配にも気づかず、眠り続けていたようだ。

　情事を終えたら、ゲルハルトの後始末を済ませて速やかに部屋を出ることになっている。ここで朝を迎えるなど、天地がひっくり返っても許されないことだったのに。

「すぐに出てゆきます。仕事の邪魔をして、ごめんなさい」

　自分が目覚めるまで、彼女たちは寝室の掃除も寝具を整えることもできず、困ったことだろう。

　ユリアネは寝台から下りようと身を起こし、肌寒さに肩を竦めた
　ゲルハルトは、決してユリアネの中に子種を残さず、いつも肌を汚すように果てる。愛人に子どもができるなど醜聞《しゅうぶん》以外の何物でもないからだ。彼が望まぬ子どもをつくらぬよう気を付けてくれていることは、暗黙の了解であり、ユリアネにとって一片の救いだった。

　ユリアネの肌は、彼が吐き出した体液や、使われた薬でどろどろに汚れているはずだ。しかし、一糸《いっし》まとわぬ身体は拭き清められたかのようにさっぱりとしている。

　ふと視線を落とすと、昨晩着ていた寝巻が床の上で丸まっているのが目に入った。拾い上げねばと手を伸ばしたが、その前に侍女が寝巻を掬い上げてしまう。

「旦那様のお言いつけでお湯の支度をしていますからお使いになってください。着るもの

は浴室に新しく用意しておりますから」

　侍女は、言いながらガウンを差し出してくる。ユリアネは目を見開いた。

「どうして……？」

「さあ、わかりかねます」

　ユリアネは小さく首を振る。

「自分の部屋に戻ります。浴室を使わせていただくなんて、おそれおおいわ……」

　かたくなに拒まれて焦れたらしく、侍女はガウンをユリアネの肩に着せ掛けながら言った。

「言うことを聞いてくださいませ。でないと、私共がミューエ様に叱られます」

　ユリアネは半ば無理やり寝台から下ろされ、浴室に追い立てられてしまう。

　城主の浴室は、たいそう豪華な設えになっていた。広さはユリアネの部屋ほどあり、床は青いタイル張りだ。白い陶器のバスタブが中央に据《す》えられ、なみなみと湯を湛えている。

　ユリアネはガウンを脱いで床の籠の中に入れ、バスタブに近づいた。

　おそるおそる湯に入り、身体を洗う。

　昨晩は、おかしな薬を使われた上、互いの体液でどろどろになるまで抱かれてしまった。熱に浮かされたように口走った恥ずかしい言葉がありありと思い出される。信じられないことだが、眠っている間にユリアネの身を清めてくれたのは、おそらくゲルハルトなのだろう。

耳まで湯に浸かっているせいだけではなく、頭からつま先まで真っ赤になってゆく。

もしかしたら、ゲルハルトは、昨晩を最後にもう二度とユリアネを呼ばないつもりなのだろうか。だから、玩具や媚薬を使って思うさまユリアネを弄んだのか。ゆっくりと寝かせてやり、浴室まで貸したのは、ちょっとした気紛《きまぐ》れなのだろう。

ユリアネは、ゲルハルトに強いられて始まった彼との関係を、両足を繋ぐ重い鎖のように感じていた。そこから解放されるかもしれないという安堵と同時に、胸を締め付けられるような言葉にしがたい苦しさが生まれる。捨てられ、彼の側から追われることが不安なのだとは、自分でも認めたくはないのに。

落ち着かない気分で入浴を終え、寝室に戻ると、そこには朝食の用意がされていた。驚きを隠せないでいるユリアネに、侍女が無言で着席するよう促してきた。ユリアネは仕方なく席に着く。

豪華な料理が並べられたものの、ユリアネはほとんど口に入れられず、皿を下げてもらうことになってしまった。

料理が片付けられたのと入れ替わりに、ミューエが部屋にやってきた。

「ほとんど食事に手をつけなかったとか」

硬い声で咎められ、ユリアネは目を伏せた。

「まあ、よろしい。ところで旦那さまより、あなたに服を作るようにとのご伝言がありました。明後日の昼に仕立て屋を呼びましたから、新しく何着かこしらえなさい」

「どうしてでしょう？　着るものには困っていません」

今は喪服しか身に着けていないが、外出着も普段着も、パウラが届けてくれたもので事足りていた。

「先代侯爵さまの喪が明けますから、旦那さまが城中の皆に新しい服を仕立ててくださっているのです。ありがたく思いなさい」

「でも……」

なお渋るユリアネを遮って、ミューエは言い切った。

「あなただけ作らないわけにもいかないでしょう。旦那さまは公平なお方ですから」

取り付く島もない彼女の様子に、ユリアネは頷かざるを得なくなった。

ユリアネだって、年頃の娘だ。新しく着るものを作るのに胸がときめかないはずがない。でも、それがゲルハルトの施しだと思うと、嬉しい気持ちと、受け取りたくないという相反した思いがないまぜになってしまう。

黙って座っていると、侍女が食後のお茶を運んできてくれた。

カップには小さな封筒が添えられており、その冷たい重みで、中身が何なのか知れた。

グロウゼブルク侯爵の居城は、海辺の断崖《だんがい》の上に建っている。街道を下りたところには、教会を中心にたいそう栄えた町があった。

ユリアネは、週に一度、安息日に教会のミサに参加している。他の信者が誰もそうであるように喪服を纏い、白金色の髪を目立たぬよう黒いベールで隠して。

ユリアネが幼いころから通っていた村の教会は小さくぼろぼろで、温厚な老司祭がもう何十年も一人で切り盛りしていた。

この町の教会は大きく立派だ。地方では最も大きな町の、そして有力な領主の膝元にある教会であるがゆえに、司祭職は将来の出世を約束された有能な人物が歴任することになっていた。

赴任してもうすぐ五年になるという現在の司祭は、四十代と若いが、あと数年すれば大聖堂に呼び戻され、司教に叙任《じょにん》されるだろうと噂されている。

昨年の秋、この城に来たばかりのユリアネが誓願式を受けさせてほしいとお願いし、退けられた相手でもあった。ユリアネはその年の誓願式のミサにも出ることさえ許されなかった。

司祭はユリアネにこう説いた。

『おまえはこの教会に通い始めて日が浅いのだから、もう一年待ちなさい。その間、身を慎んで善行《ぜんこう》を積みなさい』

ユリアネは一年間にわたって、安息日のミサのあと、一つ年下の少年少女とともに聖典《せいてん》に関する講義を聞いた。朝夕のお祈りは欠かさず、奉仕活動にいそしんだ。

司祭はもちろん、ユリアネがゲルハルトの愛人で、先代侯爵の愛人の娘であることも知っていた。でも、だからと言って意地悪をしているわけではないはずだ。

一年延ばしになった誓願式まで、あとひと月半となったその日。

司祭はミサの後、御堂の片隅でユリアネを呼び止め、半月後に最後の告解をすると告げた。そして、続けてこう言い渡したのだ。

「誓願式のドレスの用意はできているのだろうね？」

びっくりしたユリアネは、思わず問い返す。

「ドレスですか？」

司祭はおおげさな手振りで説明した。

「この教区では、誓願式を受ける者は白い衣装で臨むことになっている。知っているだろう？」

それは初めて聞く話だった。ユリアネの通っていた教会にはそんな決まりはなかった。

「まさか、用意していないのか」

呆れたように司祭は溜息をつく。

「無垢でもないおまえにそんな衣装がふさわしいかは別として、式の日までに間に合うのかね。ふしだらな手段で労《ろう》せず手に入れてはいけないよ。一人前の信者となった証拠に、自分で支度しなくてはいけないのだから」

その言葉は、暗に、ユリアネがゲルハルトにドレスをねだることを想定し、牽制《けんせい》していた。

　ユリアネは、何とかします、と声を絞り出すことしかできなかった。しかし、本当はどんなドレスを作ればいいのかもわからず、布地を手に入れる当てもなく、途方に暮れていた。

　教会を後にし、侍女とともに向かったのは、町の外れにある小さな家だ。そこにはパウラが一人で住んでいた。ミサのあとは彼女と昼食をともにすることになっていた。

「いらっしゃいませ、ユリアネさま」

　パウラは、肩を落として悄然《しょうぜん》としているユリアネを、温かく出迎えてくれた。彼女はユリアネと過ごすため、早朝にミサを済ませて食事の支度をしてくれているのだ。

　週に一度だけ訪れることを許されたその家は、ゲルハルトがパウラのために用意してくれた場所だ。まだ住み始めて一年にはならないはずだが、パウラの几帳面で温かな人柄が現れて、どことなくユリアネの育った森の側の屋敷を思い出させる雰囲気がある。

　昼食のスープを取り分けながら、パウラが言う。

「何か、気にかかることがあるのですか？」

「まあ、どうして？」

「こちらにおいでになったときから、お元気がありませんよ」

　ユリアネは何でもないと取り繕おうとしたが、育ての母のような彼女にはお見通しなようだ。微かに苦笑して、教会で司祭に言われたことをそのまま打ち明けた。

するとと、パウラはたちまちまなじりを吊り上げた。

「白いドレスが、それも自分で作ったドレスが必要だなんて、そんな話は聞いたことがありません。司祭さまの意地悪かもしれません。町の他の人に確かめてきて差しあげます」

そう言って今にも家を出ていきそうなパウラを、ユリアネは慌てて止めた。

「パウラ、そんなことしなくてもいいの」

ふたりは取りあえず昼食をとることにした。お互いに無言で黙々と料理を口に運んだ。

「司祭様のお考えで誓願式は教会ごとに違うのだから、疑ってはいけないわ」

スープを匙《さじ》で掬いながら、ユリアネはぽつぽつと自分に言い聞かせるように話し始めた。

「それにもし……、もしドレスのことがわたしにだけおっしゃったことだとしても、無理はないの。だって、わたしたち母子は、領主さまを二代にわたって慰める愛人で、司祭さまの……ううん、誰の目から見ても、教えに背く存在なのだもの」

ユリアネは卓の上の料理を見つめる。

パウラはユリアネの好きなものばかり作ってくれていた。蜂蜜入りのパン、とうもろこしのポタージュ、ちしゃのサラダ、りんご。別室で待つ侍女の分も用意し、ユリアネの世話をしてくれているから、と礼まで言っている。

「わたしに優しくすると、他の人に示しがつかないのよ。……お立場があるのだもの」

ゲルハルトは婚約を発表するため、許婚《いいなずけ》になる人を城に連れてくる。司祭は、その人も参加するミサで、ユリアネが誓願式を受けるのを避けたいのかもしれない。

「諦めておしまいになるのですか？」

窺うようなパウラのくちぶりに、ユリアネは顔を上げた。

「いいえ、ドレスは何とかするつもりよ。それに、どうしても今年のうちに誓願式を受けなければいけなくなったの」

「どういうことです？」

「ゲルハルトさまは、結婚されるの」

パウラは、ユリアネがかつての母と全く同じ境遇に置かれていることに心を痛めてくれていた。自分のためにユリアネが身動き取れなくなってしまっていると後ろめたささえ感じている。ユリアネはそんなパウラのため、彼女の前ではゲルハルトのことにはあえて触れないようにしていた。

「来月、婚約を発表されるの。そうしたら、わたしは近いうちにお城を出されることになると思う」

ユリアネは唇に淡い笑みを浮かべた。

「そのときは、一緒に来てくれるでしょう？」

その問いかけに、パウラは無言で何度も頷いた。ふたりは静かに食事を終えて、片付けのあとは、いつもの作業のために卓上に布やら裁縫道具やらを広げ始めた。

ふたりには、一昨年の秋からひそかに取り組んでいることがあった。ユリアネが誓願式のための奉仕として始めたことだ。

「寒くなる前に全部届けられるかしら？　子どもの人数は増えていたわよね」

「春と比べ、三人程増えたそうです。でも、赤子ばかりだとか」

「赤ちゃんが三人も？　洗い替えがたくさん要るんじゃない？」

「でも、赤子の下着なんて小さなものですよ」

ふたりが頭を突き合わせて話しているのは、ある修道院が経営する、都のはずれの孤児院のことだ。修道女たちが親代わりとなって、赤子から十五歳までの二十人ほどの子どもを養育する小さな施設だった。

「子どもたちは、みんな元気にしているそうですよ」

パウラの言葉に安堵して、ユリアネは頷いた。

ユリアネは、かつて通っていた教会の老司祭のつてで孤児院のことを知り、二年前から年に二度の頻度で子どもたちの下着を縫って送っている。布の手配はパウラが、裁断から縫製まではふたりで手分けして行っている。

その修道院は、パウラがユリアネとともに逃げ延びるつもりだった場所だ。

そして、ユリアネが、この城を辞した後、身を寄せたいと考えている先でもあった。

ユリアネはパウラと次の安息日までのお互いの作業工程を確認し、布地を分け合った。

そろそろ侍女と約束していた時刻になる。荷物をまとめ、家を辞する支度をする。

「じゃあ、また、次の安息日にね。――あ」

ユリアネはあることを思い出して口元に手をあてた。

「あのね、昨日の朝、お父さまとお母さまの夢を見たの」

見送りのため戸口に向かいかけていたパウラが足を止める。

「まあ……、どんな夢です？」

彼女は、慈愛に満ちた表情で言葉の続きを促した。

「ふたりと手を繋いで歩く夢。お父さまはわたしが歩き出す前に亡くなったんだから、そんなことなかったはずなのに。でも、どうして、顔も知らないのにお父さまだってわかったのかしら。……おかしいわよね」

小首を傾げるユリアネに、パウラは何も言わなかった。ただ、その目が痛ましそうに潤んでいるのが少し悲しかった。

「……ねえ、パウラ」

ユリアネは、そっと呼びかける。

城に囲われるようになってから、ずっと知りたかったことがあった。それは信じたくはないことだったけれど、おそらくは真実なのだろうとユリアネには思えていた。

「お父さまが、お城で、海に落ちて亡くなったというのは本当？」

ひとつひとつ言葉を区切りながら、ユリアネは喉を絞った。

ユリアネは、彼女が泣いてしまうかと思った。だが意外にも、パウラは引き締まった表情をしていた。

「誰にお聞きになったのです？」

彼女の声は静かだった。

「ミューエさま……、お城の家政婦をしている人よ」

「侯爵夫人が実家から連れてきた方ですね。――そうですか」

そのパウラの反応で、ユリアネは、問いかけの答えを得たと思った。

父が自ら死を選んだのかと畳《たた》みかけることは、もうできなかった。ユリアネも聞きたくないし、知るのが怖かった。わかった、と言おうとしたとき。

「――お父さまは、ご自分で命を絶たれたのではありませんよ」

確かな声でパウラは断言した。

「誰が何と言おうと、お母さまはそのことを知っていたし、わたくしもそう信じています」

どういうことなの、と聞きかけたとき、侍女がユリアネを呼び戻しに声をかけてきた。

あいまいにそれに答えつつ、城までの帰路のあいだ、ユリアネは混乱していた。


翌日、仕立て屋が城に呼ばれてやって来た。善良そうな三十過ぎの主人と、その妻らしいお針子の二人組だった。城下に大きな工房を持っているという。

ユリアネは、あまりドレス制作には乗り気でなかった。

自室に他人を入れるのも気が進まない。石壁と嵌め殺しの窓の部屋に、ちまちまと手製の刺繍の小物が並ぶだけの殺風景な場所だ。仕立て屋が興味本位で噂好きな人たちだったらどうしようという思いもあった。

しかし、話上手な主人と、若いながら熟練の技を持つ妻と思いがけず会話が弾み、ふたりと相談した結果、青い毛織の布地で、秋冬のシュミーズドレスを作ってもらうことになった。

「先にお城の皆様の注文が入っているので、このままですとドレスの完成はふた月半後になってしまいます。こちらを優先させましょう」

気を利かせた仕立て屋の主人が、ミューエにそう確認をとろうとしてくれたが、ユリアネは自分のドレスは順番通り最後でかまわないと答えた。その代わり、ふたりにひとつのお願いをした。

「実は、これとは別に自分でドレスを仕立てたいの。白い布地が必要なのですが、急ぎ、これで用立ててくれませんか」

そう言って、ユリアネは一枚の金貨を差し出した。ゲルハルトに与えられたもので、ユリアネが自分自身のために使うのは初めてだった。

これも司祭の言うよこしまな手段のうちの一つかもしれないが、金貨は一応はユリアネの所有物になっているのだから、苦渋の決断だ。

「白いドレス？　いつ、どこでお召しになるのです？」

「ひと月半後に誓願式を受けるので、そのときに」

「そういうことでしたら、うちの店ではちょっと手が足りませんが、大急ぎでお作りできる他の店を紹介しますわ」

お針子の頼もしい表情とその返答に、やはり、司祭が自分で支度しなければならないと言ったことは偽りなのかもしれないという疑問が生まれる。けれど、ユリアネはあえてそのことには言及《げんきゅう》しなかった。

「いいえ、自分で仕立てたいんです。できれば、一緒に糸や型紙を見せてもらえたら助かります」

お針子は更に何か言いたげだったが、主人の方がユリアネの願いを聞き入れて、数日後に布地などを揃えてまた城に来ると約束してくれた。

去り際、お針子がユリアネの部屋をぐるりと見回して、こっそりと尋ねてきた。

「もしかして、テーブルクロスやドイリーはご自身でおつくりになってますの？　刺繍がちょっと珍しい図案だから気になりまして……」

「はい。外国の図案だと思います」

「……今度、じっくり拝見させていただいても？」

真剣なまなざしのお針子を、主人が眉を寄せて咎める。

「こら。失礼だろうが」

「いいえ、かまいません。いつでも」

ユリアネは喜んで申し出を了承し、ふたりを見送った。

（よい人たちでよかった）

ユリアネは、いつになく浮足立った気持ちだった。

今まで、城の使用人とも、城下の町の人々ともほとんど言葉を交わしたことはなかった。優しい人もいるのだということがわかって嬉しかったのだ。

（仲のよさそうな夫婦だった）

ユリアネの幼いころの夢は、お針子で身を立てて、母をはじめとした家族とともに暮らすことだった。あのお針子には子どもはいるのだろうか。次に会ったときに聞いてみようと思った。

その日の夜遅く、ミューエが部屋を訪れた。

「数日後に、旦那さまが先方のお嬢さまと城に到着なさいます」

彼女は、喪明けとともにゲルハルトの婚約発表を行う準備のため、たいそう忙しくしているようだった。いつも硬い表情を崩さないが、その目元のあたりに色濃い疲労が見えた。

「来月の旦那さまのお誕生日の祝いまでご滞在なさる予定です。その間、あなたは教会に出かけるときしかこの部屋を出てはなりません」

噛んで含めるようなミューエの言葉に、ユリアネは素直に頷いた。

「昼ではなく早朝のミサにお行きなさい。万が一にでも、先方の方々と出くわすことのないように。伯爵家の皆さまもあなたのことはご存知のはずですが、ご成婚の暁には城を出るものという前提で黙認くださっていることを忘れないで」

　ミューエは深いため息をつき、強く念を押してくる。

「立場をわきまえて、決してでしゃばらずに過ごすのですよ。もめ事を起こしたら、ゲルハルトさまと奥様になられるご令嬢のために、わたくしが決して許しません」

　ユリアネは再び深く首肯した。

　ミューエは、ゲルハルトの母の実家からやってきた侍女で、侯爵夫人が別居したときも付き添い続けたという。ユリアネの母のせいで失意のうちに亡くなった女主人を看取った人でもあった。

　それに、これはユリアネの直感だったが、ミューエは侯爵夫人への忠心とは別に、何か複雑な理由でユリアネのことをよくは思っていないようだ。

　自分たち母娘への恨みは深いだろうに、強い自制心をもってできる限り公平に冷静に接しようとしてくれているのだろう。

　彼女が去って行ったあと、ユリアネは嵌め殺しの窓のカーテンを下ろした。

4　いびつな歯車

秋の夕陽が沈みはじめていた。

ゲルハルトは、執務室で山積みの書類に目を通している。

彼はつい昨日、東の伯爵領から、許婚となる令嬢とその兄夫妻とともに城へ帰還した。今日は早朝から数組の領民の陳情を受け、昼餐は客人とともにし、その後に城下に下りて視察をしたので、事務仕事にあてる時間がほとんどなかったのだ。夜は夜で歓待《かんたい》の宴が予定されている。侍従が呼びに来るまでの短い時間で片を付けねばならない。

膨大な書簡は、ほとんど家令が先に目を通し、優先度合をはかって選《よ》り分けることになっている。しかし、封を開けさせず、ゲルハルト自ら読むことにしているものもあった。

ゲルハルトは一通の封書を手に取り、ペーパーナイフで封を切った。亡き母に宛てて届いた手紙だ。

差出人は、都のはずれにある孤児院の院長だった。

ゲルハルトの母である侯爵夫人は、娘時代から、老人や病人、親のない子に心を寄せ、熱心に施しを行う人だった。ゲルハルトも物心ついたころからその活動に同行させられた。

母は、慈善活動によって裏方から領主としての夫を支えていたのだ。

『あなたの務めは、領主として、領民を幸せにすることです』

そう言っていた母を父は大切にし、敬意をもって接していたと思う。父はゲルハルトの知る限り、冷静で公平で、時に厳しく、しかし寛容な、理想の父であり施政者だった。

彼はそんな両親によって、侯爵の後継ぎとしてふさわしい教育を受けた。

しかし、幸福な子ども時代はあっけなく終わってしまう。

父が、男爵の未亡人を愛人として側に置き始めたからだった。

遠目に見たその女は異国生まれで、見たこともない髪と目の色をしていた。父は妻である母をほったらかしにして女を寵愛するようになった。女は常に父の側にべっとりと付き添って離れなかった。

女が居着いてからの数年間、母は辛抱強く父の心無い仕打ちに耐えていた。しかし、ゲルハルトが八つの春、ある事件が起きた。

都の侯爵邸で、父が宝物のように仕舞いこんでいたという、一枚の絵が紛失したのだ。父は狂ったように屋敷中を探し回らせた。使用人を総動員して、虫一匹も逃さぬような異様な捜索が行われたが、甲斐はなく、とうとうその絵は見つからずじまいだった。

父は、愛が薄れた腹いせに母がその絵を侍女に盗ませたのだと疑い、問い詰めたらしい。

しかし、愛人が母を庇い、父の怒りをおさめた。潔白を証明する機会すら与えられず、したり顔の憎き女に庇われたことが、母にとっては何よりの恥辱だったのだろう。間もなく、母はもっとも信頼できる侍女とともに領内の別荘に移り住んだ。幼いゲルハルトを父のもとに残したまま。

ゲルハルトは今でも、その一部始終が、女の仕組んだ巧妙な茶番だったのではないかと疑っている。母とその周囲の者に濡れ衣を着せ、父の心を母から引き離す最後の一押しをするための芝居だったのではないかと。

当の本人たちが死んだ今、真実は、その絵とともに藪の中だ。

今後、詳《つまび》らかになることは決してないだろう。

ゲルハルトは、母が亡くなった後、母が手がけていた慈善活動をそっくりそのまま引き継いだ。政務があるので貴婦人たちがするように頻繁に孤児院や施療院を慰問するわけにはいかないが、寄付を継続し、手紙を母の名で書き送り、年に一度は足を運んでいる。母の名を使うのは、本来女主人が行うべき仕事をしている気恥ずかしさと、母への敬意からだ。

今日届いた手紙は、夏の終わりにゲルハルトが訪問した孤児院の院長からのものだ。院は修道会によって経営されており、母が長年支援していた先の一つでもある。今年は赤子が急に増えたと言っていたから、たいそう忙しくしていることだろう。

手紙には、訪問と寄付への礼が丁寧に綴《つづ》られている。子どもたちの様子がつぶさに伝わるその文章に目を細め、一度読み返した後、封筒に戻して文箱に入れた。遅くなっても返事をしたためるつもりだった。

次々と書類を片付けていきながら、ゲルハルトはふと父のことを思い出す。

父はどれだけ愛人に溺れていても執務を滞らせなかったが、以前に比べてその熱意や関心はひどく薄れていたように思う。それまでは寝る間も惜しんで本を読み、屋敷や城を空けてはその目で領地の実情を確かめ、領民との意見交換を大切にする人だった。なおかつ、母とゲルハルトに寂しさを感じさせないよう、出先から手紙を欠かさないという筆まめな一面もあった。ゲルハルトが幼いころは父が毎日日記を書き綴っていた覚えがあるが、あるときを境にぱたりと見なくなってしまった。

ゲルハルトには、まだ、以前の父のような情熱はない。思いがけず抱え込むことになってしまった侯爵の責務に、ともすれば押しつぶされそうな重圧を感じている。

目の前の仕事はほとんどがこなさねばならない負担のようにしか感じられず、父の不審な死を興味本位で噂する周囲に付け入る隙を与えないよう、手落ちをしないでいるだけで精一杯だ。

家令、守役のゴルドー、その妻である家政婦のミューエらの献身的な奉公のおかげで何とか大過《たいか》なく一年を過ごせたが、彼らに向かってそんな心の裡《うち》を明かすこともできない。

（結婚も、そうだな……）

机に肘をついて窓の外を見つめる。

許婚になるヴィヴィアナは、父が生前に選んでいた相手だ。王家の遠縁でもある伯爵家の三女。蜂蜜のような金髪に、混じりけのない翡翠《ひすい》の色の目、陶器と見紛う冷たそうな白い肌の持ち主だ。先代伯爵が晩年に後妻に産ませた娘で、五人兄妹の甘やかされた末娘というのが気にかかるが、侯爵家とは家格の釣り合いがとれている。政略結婚の相手としては、きょうだいが多い家系なのが何よりの美点だ。

彼女は、父である先代伯爵亡き後、爵位を継いだ兄に後見されている。

去年の秋に社交界にデビューしたが、評判は上々だ。内々にゲルハルトとの縁談がまとまっていたこともあり、下手な噂が流れぬようにふるまいに気をつけていたというのもあるだろうが。

自分は彼女も、おそらく誰をも愛せないだろうと、ゲルハルトは考えていた。

妻になる女には、侯爵夫人としての欠点がなければいい。子どもさえ産んでくれればいい。自分は彼女を丁重に迎え、情熱的には愛せなくても、敬意をもって接するつもりだ。愛人を同じ城に住まわせるなどという愚行は犯さない。

ゲルハルトの母は、愛人の存在に傷つけられ、次第に心を病んで弱っていった。

彼が様子伺いに別荘を訪れるたび、母は愛人への憎しみと父への恨みの言葉を繰り返し口にした。かと思えば、あの女がどのように暮らしているのか息子に執拗に問いただした。そのくせ、決してあの女に近づいてはいけない、毒を飲まされるかもしれない、惑わされてしまうかもしれないと、ゲルハルトの身を童女《どうじょ》のように心配した。

そんな折、ゲルハルトはひとりの子どもと出会った。

九つの冬のことだった。記憶が正しければ、その年初めて都に雪が降った日だ。ゴルドーとともに遠駆けに出かけた帰りに雪が降り始め、浮足立ったのを覚えている。馬を厩舎《きゅうしゃ》に返し、邸宅に戻る途中で、裏口の側で立ちつくす小さな人影を見つけた。幼い女の子だった。

肩で切り揃えた髪は茶色、夕焼けのせいで目の色はわからなかった。ありふれた容姿なのに、雪を映す澄んだ目が美しく見えた。子どもは、寒さで真っ赤になった唇で、母に会いに来たのだと寂しそうに言った。今日が六つの誕生日なのだとも。

その子は、侯爵の邸宅に来ていながら、ゲルハルトが何者なのか知らぬ様子だった。それが面白く、また、母が遠くに住むと言うその子の境遇が自分に近しく思えた。大切そうに胸に抱いていた刺繍のリボンは、幼い子どもが作ったとは思えぬ見事な出来で、同時にとても温かく好ましく思え、欲しくなった。あれを手元に置いて愛でたら、心が和むだろうと思ったのだ。

子どもは戸惑いながら、これは母にあげるのだと口にした。

その揺れる瞳を見て、ゲルハルトは、数年前の自分を思い出した。

自分が剣や弓、馬の稽古に励み、勉強に打ち込み、他の者に負けぬよう必死に努めてきたのは、侯爵の第一子だからというだけでなく、母に褒めてもらいたかったからだ。いつも気鬱な表情を浮かべている母に少しでも喜んでほしかった。ゲルハルトのその願いは、永遠に叶うことはなかったけれども。

子どもは、ゲルハルトに、次に会ったときに贈り物をくれるとまで言った。

ゲルハルトはその約束の証《あかし》に、小指に嵌めていた銀の指輪を与えた。赤子のときに母が贈ってくれた、魔除けの指輪だった。内側には古字でゲルハルトの名前が彫られ、見る者が見ればすぐに彼のものだとわかる。

子どもはおずおずとゲルハルトに礼を言った。潤んだ目が可愛かった。真っ赤に染まった形のよい耳も、細い指先を飾る桜貝のような小さな爪も愛らしかった。

ゲルハルトはその子に、自分の母もまた遠くに居るのだと教えもした。

身近な誰にも気取《けど》らせたことのないゲルハルトの孤独に、その子どもは幼いくせに敏《さと》くも気づいたようだった。

「また、会いに来ます」

子どもはその言葉の意味を深くは考えていなかっただろう。

「あなたもお母さまと一緒に暮らせるように、毎日お祈りする」

その舌足らずな呟きにどれほどゲルハルトの心が温もったか、あの子は知らないだろう。

屋敷に戻って着替えながら、ゴルドーにその出来事を話した。予想していた通り、彼はゲルハルトをきつく叱った。

「素性も知れぬ者に与えたとおっしゃるのですか。手ずから、お名前まで刻まれておりましたものを……」

貴族が自分の名の刻まれた品を与えるということは、相手に対する親愛を示すということだ。身に着けているものを手ずから渡すことは最高の信頼の表わし方で、幼いころから、容易にするものではないと厳しく教えられていた。

しかし、あんな子どもが貴族の作法を知っているとは思えなかったし、ゲルハルトはそのときどうしても、何か目印になるものを渡したかったのだ。

「今日はその子どもの誕生日だったそうだ。指輪のことは、僕からお母さまにお話しする」

呆れたような表情を見せるゴルドーに気づかず、彼は意気揚々と言った。

「次にここに来ることがあったら、あの子はあれを誰かに見せるはずだから、そうしたら僕のところに連れてこい。必ずだぞ。大きくなったら僕の側で働いてもらう」

ゴルドーはいつもの仏頂面を緩め、困ったような顔になる。

気難しいたちのゲルハルトが珍しく何かを気に入ったことに面食らったらしい。しかも少女への好意を堂々と口にするのだから。

「おやまあ、お側に置くなどと。しかし、身分違いは不幸のもとですぞ」

「身分が釣り合ったって、父上と母上のような関係なら意味がないじゃないか」

ゲルハルトは、無粋なゴルドーの言葉に唇を尖らせた。

父母たちの悲惨な仲を見て育ったゲルハルトは、そのとき、結婚は本当に愛する相手としなくては意味がないと夢のようなことを考えていた。

ゴルドーも、九つのゲルハルトに道理を説くのはまだ無意味だと思ったのだろう、咳払いをしてこう続けた。

「まあ、それは置いておいて。そんなにお気に召したのなら、すぐに側に呼び寄せてもよかったのでは？」

「確かにそうだな。そうしたら、あの子も母親の近くにいられるし……。でも、まあいい。来年もきっとまた来るだろうからな」

翌月に母に会ったとき、ゲルハルトはありのままを母に話した。母はゲルハルトが指輪を手放したことを咎めることはなかった。それどころか、いつになく穏やかな表情で、『必ずわたくしにも会わせてちょうだい』と微笑んでくれた。

次の雪の季節に会える。そう信じて疑わなかった。しかし、翌年も、その翌年も、茶色い髪の子どもはゲルハルトの前には現れなかった。

その子のことを改めて思い出したのは、ゲルハルトが誓願式の準備を始めたときだった。

もうその面影すらおぼろになった、名も知らない娘のことが忘れ難かった。

ゲルハルトはゴルドーに命じ、その子の母を探させた。侯爵家で働く寡婦《かふ》で、冬生まれの茶色い髪の娘がいる者。

　手を尽くさせたが、都にも領地の城の使用人にも、誰ひとり条件に合う者はいなかった。ゲルハルトがあの子どもに会ったとき以降に城を辞めていった者にもできる限りあたったが、どういうわけか見つからず、娘探しは断念せざるを得なかった。

　しかし、それはゲルハルトが喜んでやるべきことだった。

　母がもう侯爵家にいないということは、あの子が母と暮らせているということを意味したからだ。

　また、指輪がどこぞで売られた形跡もなかった。

　ゲルハルトの名が刻まれた銀の指輪は、たとえどこで売られたとしても、必ず侯爵家に届けられるはずだからだ。

　ということは、今もあの娘は指輪を持っているのだろう。暮らしのために金に換えることもしなかったのだ。ゲルハルトはそれが嬉しかった。

　いつか、指輪とともに、鷹の刺繍の品を大切そうに携《たずさ》えた美しい娘が、ゲルハルトのもとにやってくるかもしれない。ゲルハルトはときどきそんな夢を見た。

　ゲルハルトが誓願式を終え子爵位を継ぐひと月前、母が父のもとに帰ることなく別荘で亡くなった。死ぬまで、孤児院や施療院への寄付をやめることはなかった。

　少年時代のあこがれは、母の死を経て冷たく凝《こご》ってしまった。

　胸の奥にしまいこんだその感情に付ける名を、ゲルハルトは知らない。

ゲルハルトは、扉を叩く音で我に返った。

いつの間にか手を止めて、思索《しさく》に耽《ふけ》ってしまっていたらしい。

「旦那さま、そろそろ晩餐のお仕度を」

侍従に声をかけられ、ゲルハルトは積んだままの書類を残して執務室を出る。自室に戻って着替えを済ませ、広間に向かった。

招待主として伯爵夫妻と令嬢を迎え、席に着く。

伯爵夫妻は、ヴィヴィアナの両親と言ってもいいほど年齢が離れていた。

「大変風情のある城だ。お招きいただいて嬉しいよ」

伯爵は食前酒を楽しみながら鷹揚《おうよう》な口ぶりで言った。伯爵は王家とは遠い血縁関係にあるものの、人物や品格が特段すぐれているという話は聞かない。若く先進的な国王とはあまり馬が合わないようで、宮廷でもさほど影響力があるわけでもなかった。

「ヴィヴィアナは、一日でも早くこちらにお伺いしたいと心待ちにしてましたのよ」

言い継いだのは伯爵夫人のほうだ。ヴィヴィアナは目をきらきらと輝かせてはいるが、恥ずかしげに眼を伏せ、話しかけられるまで口を開かないという未婚の貴婦人の作法を守っている。

さすがに彼女の所作は洗練されており、非の打ちどころがない。その薄紅色に染められた爪はきれいに伸ばされているのに、カトラリーを扱っていても音ひとつ立てない。

「ありがとうございます。当家の事情で今回の話を日延べしてしまったことは、何とお詫びしたらよいか……」

「いやいや、とんでもない。侯爵が王太子殿下の守役の務めをはじめ、大変お忙しいことは承知している。何より、ご父君のことがあられたのですからな。この一年の間、ヴィヴィアナは侯爵のお心を思って胸を痛めて暮らしていたのですよ。友人にも悩みを打ち明けられず、毎日飼い犬に語りかけて……、ヴィヴィアナ」

彼女は白いおもてを上げて、ぽっと頬を染めた。

「まあ、お兄様……！」

「犬を飼っておいでなのですね？」

「そうですの、でも、こちらに嫁ぐならお別れしなくてはいけませんから……」

「連れてきてもかまいませんが」

目を輝かせて喜ぶヴィヴィアナに形ばかりの微笑を返しながら、ゲルハルトはこの三人の力関係を推察していた。

以降、伯爵は一年前の事故のことには一言も触れない。会話はゲルハルトの都での務めや、国王一家の近況、それから、ヴィヴィアナがいかにゲルハルトを慕っており、数多《あまた》の令嬢たちの中から結婚相手に選ばれたことを幸福に思っているかという話題に終始した。

伯爵夫妻の言葉の端々には、妹の夫になるゲルハルトを通じ、何とか国王一家と親交を深めたいという目的が見え隠れする。それくらいの野心ならば可愛いものだと思いつつ、ゲルハルトは慣れた社交辞令でそつなく会話をこなした。

つまらないおしゃべりに晩餐のほとんどの時間を費やし、食後のお茶が下げられたあと、ゲルハルトは伯爵夫妻とヴィヴィアナを客室まで見送ることにした。

ゲルハルトがエスコートを申し出ると、ヴィヴィアナは恥じらいながら身を預けてくる。彼女はユリアネよりも少し背が高かった。

一階の広間から二階の客室へ上がるには、中庭を囲む回廊を通らねばならない。今の季節は二季咲きの薔薇《ばら》が盛りを迎えている。

ゲルハルトはふと足を止めた。

庭の向かい側の廊下を、小走りに歩くひとりの女の姿があった。

ユリアネだった。客人の滞在中は決して部屋から出ないよう強く言い含めていたのに、外にいるどころか、こちら側にゲルハルトたちがいるのにも気づかないで厨房の方に向かっている。あの目立つ色の髪を隠すことすらしていない。

案の定、伯爵夫妻とヴィヴィアナの視線は彼女に向けられていた。

ゲルハルトは苛立ちを押し隠しながら慇懃《いんぎん》に言った。

「お見苦しいところをお見せしました」

ヴィヴィアナは大きな目でゲルハルトを見上げてくる。

「使用人の教育が行き届いておらず、お恥ずかしい限りです」

しかし、伯爵夫妻は、どうやら、女の珍しい髪色に気づいたようだった。

ゲルハルトは、苦々しい思いで三人を客室に送り届けた。就寝の挨拶を済ませた後、足早に三階に向かう。ユリアネの部屋がある一角だ。ユリアネを抱くときはいつも自分の寝室へ呼び出していたから、およそ一年ぶりに訪れることになる。

扉の前に立つと、室内からふたり分の声が漏れ聞こえてきた。会話は穏やかで、一方の声の主は男だった。ゲルハルトは、自分の胸がかっと熱くなるのを感じる。

夜、男を部屋に入れるなど、許したことはない。

ゲルハルトは扉の把手《とって》を握り、室内に向けて開いた。

「おや、旦那様。いかがなさいましたか」

そこにいたのはゴルドーだった。ちょっと驚いたように、どんぐりのような眼を見開いている。

この男は、ある過去の出来事のためにユリアネのことを快くは思っていない。なのに今は、ユリアネの部屋を訪れているどころか、柔らかい表情を浮かべてさえいる。

毒気を抜かれたゲルハルトは一瞬押し黙ったが、すぐに顎を上げて守役に問いかける。

「それは私の台詞だ。こんな時間に何をしている」

「ああ、それは……」

ゴルドーは大きな肩を竦めて室内に目をやる。中では、戸惑った様子のユリアネがゴルドーの肩越しにゲルハルトを見つめていた。

卵形の白い顔に、二粒の紫水晶のような濡れた瞳。戸惑ったように少し寄せられた眉が美しい。

「ゴルドーさま、どうか、おおごとには……」

細い声で彼女は願うように言った。

「ええ、大したことではないのです。晩餐の支度を終えた妻が、こちらの部屋にお伺いしている間に突然倒れてしまいまして……」

「それで？」

ゲルハルトは硬い声で促す。

「ユリアネさまが、居合わせた仕立て屋に医者を呼ばせて、自ら看病してくださったのです。妻は大分容体が落ち着きましたので、今しがた部屋に連れていき、ユリアネさまにお礼を申し上げたところです」

「もういいのか？　ミューエは」

「は。過労が溜まり、高熱が出ていたとのことでした。ゆっくり休めばすぐに治ると」

ゴルドーは頭を掻きながらゲルハルトを見下ろす。

「妻の不調にも気づかぬとは、夫としてお恥ずかしい限りです。お咎めは私が受けますゆえ、ユリアネさまがお部屋を出てしまわれたことはお許しくださいませんか」

ゴルドーの気まずそうな顔から目を逸らし、ゲルハルトはぽつりと言った。

「わかった。……早くミューエに付き添ってやれ」

「ありがとうございます。では、これで失礼を」

ゴルドーは大きな体躯を縮めて礼を取ると、のしのしと歩いて去って行った。

開きかけの扉を前に、ゲルハルトとユリアネがそこに残される。

彼女は頼りなげな佇《たたず》まいで立ちつくしていた。質素なドレスの袖を捲った、まるで下女のような格好だ。

ゲルハルトは、その形のよい額、すっきりとした鼻梁《びりょう》を見下ろす。薔薇の花弁のような珊瑚《さんご》色の唇が開かれる。

「あの……」

彼女が目を伏すと、長い睫毛《まつげ》が頬に影を落とす。

「何だ」

「お言いつけに背いて、部屋を出てしまいました」

彼女の声はいつもいたわしいほど澄んでいて、ゲルハルトを苛立たせた。

「そのことはもういい」

ユリアネは小さく頷いた。

「厨房の方に走って行っていたのは、なぜだ？」

尋ねると、小さな顔が微かに強張る。案の定、見られていたと気づいていなかったようだ。

「盥とお湯を借りました。お医者様が用意するようおっしゃったので」

「そんなこと、下女にさせればいいだろう」

「晩餐会の片付けで、人手が足りない様子でしたから。あの……、申し訳ありません」

「もういいと言っている」

　ユリアネは目に見えてしゅんとしてしまった。

　思えばゲルハルトはこれまで、ユリアネとまともな会話を交わしたこともほとんどなかったように思う。

　閨の中ではこれ以上ないほど近づいて、何度となく肌を重ねているのに。

「――ご苦労だった」

　そう言ってやると、彼女ははっとしたように顔を上げた。自分にかけられた言葉が信じられないとでも言うように。

「……いいえ、苦労でも何でもないことです」

　彼女は頬を朱に染めた。耳まで真っ赤になっていく。

　しかし、すぐに彼女の目が再び伏せられた。

「あの……、お尋ねしたいことがあるのですが……」

「何だ」

　ゲルハルトは、素っ気なく促す。

　自分でも理解しがたいことだが、もっと彼女の声を聴きたいと思ってしまっていた。

おそるおそるといった様子で彼女は口にする。

「わたしは、いつまでにここを出て行けばいいのでしょう」

ゲルハルトは眉を上げた。

ユリアネは、所在なさげに見つめてくる。真剣なまなざしだった。

「どういう意味だ？」

ゲルハルトは、喉から下に冴え冴えとした冷たいものが下りてゆくのを感じた。

「わたしはもうここにいてはいけないから……」

「なぜ？」

喉が乾いて声が張り付く。

「だって、ゲルハルトさまはご結婚なさるのだから――」

その言葉で、頭に血が昇った。

「私がいつ、おまえを手放すと言った」

ユリアネは、菫色の目をこぼれんばかりに見開く。その表情が鼻につく。

思えば、初めてこの女を抱いたのは、こんな秋の夜のことだった。

あのときのゲルハルトは、眠る暇もないほど多忙を極めていた。

父と愛人が心中かとも思えるような不審な死を遂げ、後始末に奔走していた。そんな中で時間を作り、母を亡くした娘にその事実を伝え、弔《とむら》いや、彼女の身の処し方について話すため、自ら出向いたのだ。

なのに、ユリアネは既に密かに事故のことを知らされており、屋敷から逃げる算段を整えている最中だった。

父を死に誘ったのはあくまで愛人本人で、この娘には何ら科《とが》はない。そんなことは理性ではわかっていた。

しかし、彼女の、大切そうに守られて、無垢なさまに怒りを煽《あお》られた。そのうえ、ユリアネは、目を疑うほどあの女にそっくりだった。純真なふりをしながら、きっとあの女と同じように淫蕩に男をくわえこんでいるのだろうと、疑いもしなかった。

飼い慣らせないほどの混乱と衝動が身体を衝き動かした。この手で汚して、父の愛人のせいで苦しんだ自分と同じように傷つけ、奈落《ならく》の底に引きずり落としてやりたかった。自分は父のようにはならない、なりたくないとも思いながら。

「残念だったな。おまえは、もうしばらくは私の慰み者だ」

さめた声で告げ、ユリアネの腕を引っ摑む。部屋に踏み込み、扉を後ろ手に閉めて内鍵をかけた。華奢な肩を両手で突き飛ばすと、細い上半身が寝台の上に弾むように倒れこむ。

「なにを――」

「飽きるまでと言っただろう。どうせ、行くところなどないくせに」

言いながら、彼女の身体を俯せに返す。寝台に腹這いにし、床に足を着かせた格好だ。

「や……、やめてください、こんなところで……」

抱かれるのだと気づいて、ユリアネは弱弱しくもがいた。

ゲルハルトは、ほっそりとした彼女の腕を捻《ね》じ曲げ、背中に固定してしまう。胸元のクラヴァットを緩め、彼女の両腕をきつく縛り上げた。ドレスの裾をペチコートごと捲り上げると、真っ白なドロワーズが露わになる。寝巻姿以外のユリアネを抱くのは初めてだった。

ドロワーズを引きおろし、滑《なめ》らかな太ももを曝《さら》け出す。身をよじって逃れたがる往生際の悪い愛人に、ゲルハルトは冷たく言い放った。

「好きなときにこうして何が悪い？　ここは私の城で、おまえは愛人だ」

ももの間に膝を入れ、すんなりとした足を開かせる。くびれた腰を少し持ち上げて尻を突き出させ、後ろから局所に触れた。

「……あっ……」

いきなり触れたそこは、まだ乾いていた。

「んん……っ」

花核に指先が触れると彼女は腰を揺らしたが、唇を噛んでいるのかくぐもった声が聞こえるばかりだ。

ゲルハルトは苦笑する。

初めて関係をもったときから、自分が満足を得るよりも、いやがる彼女を感じさせ、泣かせることを愉しんできた。いつでも突き放せる、手放すことができると余裕を持っていた。

　なのに、媚薬を使ったときは、張形で自分を慰めて身もだえる淫らな姿を愉しむつもりが、いつの間にか彼女を抱いていた。今日も、気が済むまで抱き潰すつもりだった。

　トラウザーズの前をくつろげる。乾いた柔らかな花弁を指でそっと開くと、昂《たか》ぶったものを一息に蜜壺に押し込んだ。

「っ——！」

　ユリアネは、声にならない悲鳴をあげて背を反らす。

　潤っていない肉壁は、いきなりの仕打ちに耐えきれないのか、ひきつれて上手く受け入れられない。ゲルハルトが腰をぐっと進めると、柔らかな尻が拒むように強張った。

「いや……、……たいです、やめて……っ」

「罰なのだから、痛くなければ意味がないだろう」

　言いながら、切っ先でこじ開けるようにさらに奥を穿つ。

「ひっ……、いや、や……っ、……やめて、——抜いて……っ」

「抜くわけがないだろう。我儘《わがまま》を言えなくしてやる」

　さすがに動きにくいので、愛撫を施すことにした。この一年の間で、彼女の弱いところはすっかりわかっている。

　ゲルハルトは彼女の背中にぴったりとおおいかぶさり、髪をかきわけて耳元に唇を寄せた。形の良い薄い耳は、殊《こと》の外《ほか》彼の気に入りだった。耳朶をねぶり、耳殻《じかく》を舌先で擽《くすぐ》ると、胸の下で彼女の肩がびくりと震えた。

前から手を鼠蹊部《そけいぶ》に伸ばし、薄い叢《くさむら》をかきわけて恥骨に触れる。その下の小さな芯を指先にとらえた。彼女のうなじの匂い立つような肌を吸いながら、柔らかい花芽をゆっくりところがした。ゲルハルトを受け入れた場所がぎゅうっと締まる。

「んっ……、ん」

ユリアネは、感じていることを気取られまいとしてか、きつく唇を嚙んで声を殺していた。それが面白くなくて、淫核を円を描くように優しくこね回す。そこはすぐに小さくしこって尖り、同調するように花襞のあわいがしっとりと蜜をたたえはじめた。

指の腹でぬめりを掬って、莢に隠れていたひときわ敏感な真珠を撫でる。

「っ！」

快感が過ぎるのか、ユリアネは身をよじって逃れたがった。それを許さず、一旦腰を引いて抜きかけたものをゆっくりと蜜壺に沈める。

「いや……っあ……」

前をこれ以上ないほど優しい手つきで撫でながら、突き当たりにぶつかり、再び入り口まで下がる。内壁は吸い付くようにゲルハルトの楔に絡みついた。やがて、抽送が難しくなるほどの断続的な締め付けが始まり、ユリアネはゲルハルトの身体の下で、声も出さずに静かに果てた。

「……っ、ぁ……」

その小さな耳が真っ赤に染まっている。

「おまえには、媚薬など要らなかったな」

耳元に熱く吹き込みながら、絶頂の余韻が去らないらしいその場所への愛撫をすぐに再開する。ゲルハルトを一杯に頬張っている場所からとろとろと滴る蜜をたっぷりと掬って、敏感な尖りに撫でつける。

「っ、やめ……、だめ、……もう……っ」

「いってるからか？　何度でもいけばいい」

次は、ゲルハルト自身も快楽を得るために、ゆるゆると腰を揺すりはじめる。すっかり濡れそぼった肉奥は、言葉とは裏腹に滑らかに雄を受け入れ、しゃぶりつくそうとしてくる。

「だめ、また……、ぁ――っ」

たったそれだけの動きで、彼女はあっという間に昇り詰めた。細切《こまぎ》れの声で喘ぎながら、頤を仰け反らせ、身をのたうたせて耐えている。

ゲルハルトは、絞り上げるような媚肉の動きに溜息をついた。身を起こし、寝台に腕を突いて、抽送を激しくしていく。

「おまえばかり愉しんで、不公平だと思わないか？」

華奢な背中に声をかけるが、打ち寄せる快楽にすすり泣くばかりの彼女には聞こえていないようだ。律動を送り込まれるうちに全身から力が抜けてしまったらしい。くったりと寝台に身を預けるようになった。

ゲルハルトは、指が食い込むほど強く腰を摑む。

「これからは、中に出してやろう」

投げかけた言葉に、彼女は我に返ったように身を強張らせた。

「孕んでしまえ。そうしたら、ここから離れようなんて考えなくなるだろう」

「や……」

縛られた手が弱弱しくもがいている。小さな頭がいやいやをするように何度も打ち振られる。

「ぃや、やめ……」

泣き濡れた声で懇願しながら、ユリアネは自由にならない身を捩って逃れようとする。

「いけません、だめ……っ」

しかし、背後からがつがつと楔を突き入れられ、寝台に押さえつけられている体勢では身じろぎもかなわない。

その哀れな様に、ゲルハルトは残酷な喜びを感じていた。下腹部に重たい熱が溜まってゆく。早くそれを解き放ちたいという衝動が心をどす黒く支配する。

「ゆるしてぇ……っ、やぁ、あっ」

思うさま、この可愛くて憎い、清らかでふしだらな愛人を汚してやりたい。

「――っ」

ゲルハルトは低く呻いて動きを止め、ユリアネの胎内に放った。

熟れた膣肉は、やわやわと肉剣を包み、最後の一滴まで絞ろうとするかのように蠢く。ゲルハルトは彼女のくびれた腰を抱え込み、隙なくぴったりと重なったまま、しばらく動かなかった。

静かな部屋に、ユリアネがすすり泣く声が響く。

ゲルハルトは苛立ちとともに新たな欲望を覚え、兆したままの楔を抜くことなく抽送を再開した。今度は、子宮の入り口をこねるように、ねっとりと腰をうごめかせる。

「や……、それ、イヤ、だめ……っ」

「奥がいいんだろう？」

「やぁっ……、だめ、だめっ」

内臓をゆすぶるように小刻みに振動を加えると、中がうねって締め付けてきた。ゆったりと腰を使い、存分に柔らかくきつい蜜壷を堪能した後、もう一度中に注いだ。

「……ぁっ……っ」

同時にユリアネも達したようだった。膣肉が絶頂の余韻にぴくぴくと蠕動《ぜんどう》している。

包み込まれているような温かさとあいまって、犯し尽くした後の満足感は、なかなか去らなかった。

ようやく身体を離しても、ユリアネはぐったりとして動かなかった。気を失っているのかと思い、髪をかき上げてその小さな顔を覗く。声もなく涙を流す彼女の頬を指でぬぐってやりながら、気がつけばそのこめかみに唇を寄せていた。

「っ」

彼女が小さく息を呑み、顔を背ける。

拒まれたことに勝手に傷ついて、ゲルハルトは無理やり彼女の後ろ髪を掴み、細い首筋に顔を埋めて肌をきつく吸った。そこに小さく真っ赤な痣《あざ》が浮かんだのに満足し、やっと、後ろ手に彼女の腕を縛っていたクラヴァットを解く。

血の気が引いた白い指先の先端に、ゲルハルトと変わらぬ程に短く切り揃えられた透けるような爪。どうしてこうも飾り気がないのだろう。

ユリアネは、震える手で乱れたドレスの裾を直しながら、転がるように寝台を下りた。ゲルハルトから一瞬でも早く離れたいと言うかのように、ふらつく足で隣室に消える。

その背中を見送ったゲルハルトは、身の汚れをチーフで拭って身仕舞を正した。しばらく待っても、ユリアネは戻ってこなかった。

そのまま部屋を出て行こうかと思ったとき、隣室から水音が聞こえてきた。

ゲルハルトは、半開きの扉の間に身を滑らせる。

ドレスを脱いだユリアネが、盥に腰を浸けて体を洗っていた。水を使っているらしい。こちらに背を向けているので表情は窺えないが、鼻をすする音、嗚咽を飲み込む声も聞こえる。

ゲルハルトはしばらく、腕を組んで壁に背をもたれかけさせて立っていたが、いつの間にか、大股でユリアネに歩み寄っていた。

ユリアネが怯えたように肩を揺らしてこちらを振り返る。紫色の目が真っ赤になっていた。

ゲルハルトは、自分の理性の箍が音を立てて外れるような錯覚に陥《おちい》る。

濡れた肩を摑んで素裸の彼女を無理やり立たせ、居室に連れ戻した。

華奢な体を寝台に押し込む。ぞっとするほど冷たい肌に両手を這わせると、苛立ちにも似た欲情が胸を突き上げる。彼女の太ももを抱えこんで脚を開かせ、もどかしく自身の前を緩めて性急に重なった。

「やぁ――っ」

糸を引くような細い悲鳴。

「も……、やめ、許して――、苦し……」

身体を折り曲げられるような姿勢に、ユリアネが顔を歪める。激しく出し入れを始めると、冷えた肌とは裏腹に温かくぬかるんだ蜜壺がひくつきはじめる。

嫌がりながらも、花開くように身体を悦《よろこ》ばせる彼女に、憐れみと同情が搔き立てられる。まるであつらえたかのように、こんなにもゲルハルトにぴったりなのに、男なしでは生きていけないくせに、なぜ自分の元から離れようというのか。

他の男に指一本触れさせてはならない。泣き顔も喜んだ顔も、はにかみも感じたときの顔も、誰にも見せてはいけない。

「――おまえは私のものだ」

ユリアネの腹に自分の子種が宿るかもしれないという想像は、ゲルハルトをひどく満足させた。産ませれば、彼女を繋ぎとめる枷になる。子どもを捨てて逃げるような女ではないからだ。

それは、理不尽で身勝手な独占欲だった。

ゲルハルトは、ほぼ一晩中休みなく彼女を苛み続けた。

空が白み始めたころ、ようやっとユリアネを解放したのだった。

5　泥のなかの涙

広間で伯爵一家を歓迎する晩餐が行われていたころ、ユリアネは、仕立て屋の夫婦を部屋に招いていた。ドレスをつくるための布地や糸を商ってもらうためだった。

お針子が白い布地を何枚か見繕ってきてくれていたので、ユリアネはその中から厚手の麻を選んだ。彼女のことをよく見てみれば、ふっくらとしたお腹を大事そうに抱えていた。

主人のほうは、まだ頼んでもいなかったのに、青いドレスのついでだと言ってユリアネの体型に合わせた型紙を持ってきてくれていた。

お針子は、ドレスができたら必ず見せてほしいとも言ってくれた。

ふたりに礼を言い、送り出そうとしたとき、ミューエが部屋にやって来た。

どうやら、部屋を出てはいけないと言い含められていたユリアネのもとにこっそりと客人が来たので、侍女が怪しんで知らせたらしかった。

ユリアネは、忙しげに現れた彼女に、白い布地を贖《あがな》った事情を説明しなければならなかった。そのためには自分がまだ誓願式を受けていないという事情を明かさねばならず、恥ずかしかったが、素直に話した。

「まあ、人騒がせな……」

そう言ってミューエは深いため息をついた。ひどく疲れた顔をして彼女が踵を返したとき、その長身がぐらりと傾ぐ。

「ミューエさま！」

ユリアネが思わず叫んだ瞬間に、彼女は花が風に吹かれるように床に倒れ込んでしまった。

「ミューエさま、どうされました？」

慌てて駆け寄り声をかけるが、彼女はぐったりと目を閉じて動かない。思わず膝にその上半身を起こして肌に触れると、びっくりするほど熱かった。

「すごい熱……」

ユリアネの呟きを拾って、屈《かが》みこんだ主人もまたミューエの額を確かめた。

「本当だ。とりあえず、こちらの寝台に寝かせてもかまいませんか？」

頷くと、主人がミューエを抱えて寝台にその身体を横たえる。彼が城下に医者を呼びに行くと言ってくれたので好意に甘えることにし、侍女には城内の誰かに家政婦が倒れたことを知らせてくるよう頼んだ。

部屋にはユリアネとお針子が残された。寝台の側に立ったユリアネは、お針子に言った。

「離れていた方がいいと思います。お腹に赤ちゃんがいるのでしょう？」

「でも、ユリアネさまが看病なさいますの？」

「もちろん」

ユリアネは彼女の衣服をくつろげるため、その詰まった襟元に触れた。

ミューエの強張った顔に苦悶の表情が浮かび、唇がうっすらと開かれる。何かを訴えるような小さな呻きが聞こえた。

ユリアネは思わず彼女の口元に耳を寄せる。

くぐもった声が、『信じてください』、『盗んでいません』と、その二言を繰り返していた。熱に浮かされ、記憶が錯綜《さくそう》しているらしい。

ユリアネは、思いがけない彼女の訴えに目を見開いた。離れた場所にいるお針子には聞こえていないようだった。

ミューエのうわごとは、人に聞かれてはいけない、何か大変な秘密のように思われた。

ユリアネは何でもない風を装いながら彼女の看病を続けた。

そのうち、侍女に呼ばれてゴルドーが部屋に入ってきた。彼は寝台に横たわるミューエを見て驚き、慌てた様子で近寄ってくる。

ユリアネは彼に、ミューエが倒れたときの様子を話し、医者を呼んでいるということを伝えた。

彼は怒らせていた肩から力を抜き、おそるおそる寝台に歩み寄ると、ミューエの肩を優しく抱きしめた。
その様子を見てびっくりしてしまったユリアネは、ふたりが夫婦なのだということによ
うやく気がついたのだった。
半時ほどして医者が到着すると、ユリアネは指示されるまま厨房にお湯を借りに行った
り、侍女と一緒にミューエを着替えさせたりと気忙《きぜわ》しく働いた。
ミューエの容体が落ち着いたころ、ゴルドーが『いつまでも寝台をお借りするわけにい
かないので』と言って妻を抱えて部屋に戻ってゆき、お針子夫婦も城を辞していった。
ひとりになって部屋を片付けていると、扉が叩かれて、ゴルドーが戻ってきた。
「どうもありがとうございました。おかげさまで助かりました。妻は今回のお客人を迎え
る準備のため、大分無理をしていたようです。気づけずまことにお恥ずかしい」
彼は大きな体躯を屈めてユリアネに頭を下げた。
彼と言葉を交わすのは、一年前にこの城に連れてこられたとき以来のことだ。ユリアネ
は小さく首を振る。
「いいえ。……あの、わたし、おふたりがご夫婦だと今日まで知らなくて、こちらに来ら
れたときに驚いてしまいました。ごめんなさい」
ユリアネが恥じ入るように言うと、ゴルドーは眉間の皺《しわ》を緩めた。
「いや、この城に古くからいる者はわかりきっていることなのであえて言う者もなかった
のでしょう。しばらく離れて暮らしておりましたので、逆に新参者は知らないままと言い

ますか」

彼の表情に、初めて会ったときの険しさはなかった。

「しばらく離れて……？」

ユリアネが反芻した言葉に、彼が頭を掻いて頷いた。

「まあ、一年程前までのことです」

その苦笑に、何か複雑な事情を見て取り、ユリアネは口を噤んだ。ユリアネか、あるいはユリアネの母に関係していることなのだ。いつだったか、ミューエの態度に同じことを感じたことがあった。

ユリアネの母の存在は、ゲルハルトだけでなく、ミューエの心にも影を落としている。どうして自分の母がそんなに恨まれているのか、知るのは怖いけれど、ユリアネは、知っていなくてはいけないという気持ちになっていた。

「……ミューエさまは、うなされながら、『盗んでいない』『信じてください』と何度もおっしゃっていました。ゴルドーさまと別々に暮らしていたことと関係があるのですか？」

言いながら、ユリアネは、離れて暮らさねばならなかったもう一組の夫妻のことに思い至る。侯爵とその夫人のことだ。

目を上げてゴルドーを見つめる。彼は唇を引き結び、俯いた。

「妻の恩人にお話ししないわけにはまいりませんな。お察しの通りです。私とミューエはこの城で出会い結婚しました。私が若様――ゲルハルトさまの守役で、あれが奥様付きの侍女だった縁です。ゲルハルトさまが九つになられる前でしたか、都の侯爵邸であるものが紛失し、妻はそれを盗んだ嫌疑をかけられました。奥様付きで、ゲルハルトさまのお世話のため屋敷中を自由に回れる立場だったからです」

不正など言語道断だと思っていそうなあのミューエが、そんな疑いをかけられるなど、ユリアネにはにわかに信じがたいことだった。

「証拠の品は見つかりませんでしたが、先代様は妻を疑うばかりか、盗み自体を奥様が命じたことだとはなから決めつけておいででした。奥様は屋敷から追い出されたミューエをかばい、共に屋敷を出られ、私はそれ以来十年近く妻と離れて暮らしてきました」

吐き出すように声を絞ったゴルドーは、疲れたような笑みを浮かべた。

「ごめんなさい。思い出すのもお辛いことを……」

ユリアネが言うと、彼は目を細める。

「いや、よいのです。盗まれたものがとうとう見つからずじまいだったもので、何やらまだ出来事が続いているような気がして不穏に思えたままで」

それは、ユリアネが彼の目の前にいるからではないのだろうか？

そう口にしようとして、ためらったとき、部屋の扉が開いてゲルハルトが入ってきた。思いがけない来訪に驚いたユリアネだったが、ゴルドーのとりなしで何とか部屋を出たことを責められずに済んだ。

そればかりか、ゲルハルトは、ミューエの看病をしたことを労《ねぎら》うことさえしてくれた。

ユリアネが彼の役に立てたことなど、これまであっただろうか。

ユリアネは彼の言葉を信じられなかった。嬉しくて、でも、それを嬉しいと思う自分を戒《いまし》めた。

彼に初めて出会ってから十三の冬まで、ユリアネは、自身が母とともに暮らしたいと願うのと同じだけ、彼もまた早く母と一緒にいられるようになりますようにと祈っていた。彼の母が死んだことを知ったあとは、母たちのことを受け入れられず、ずっと気持ちの整理がつかないままだったけれど、今なら思う。

彼には輝かしい未来が約束されている。彼にふさわしい伴侶を得て、たくさんの子どもに恵まれ、温かな家庭を持って、侯爵家を次代につないでいくという役目がある。母と関係を結ぶ前の先代侯爵は、妻を敬い、息子を大切にする素晴らしい人だったという。彼もきっとそんな風に生きられる人なのだ。

そのために、自分は早くここを離れなくてはならない。

ユリアネには父母はなく、もはや帰る家すらない。不本意な形で純潔を失って、まともな幸福は望めない身だ。幼いころは、結婚して、夫になる人とも、母とパウラとも、ひとつの家で暮らしたいと思っていたことが、今は夢のようだ。

だからなおのこと、彼には幸せになってほしい、こんな不毛な関係は終わらせなくてはと、ユリアネは思っていた。

だから、思い切って尋ねてしまった。いつか聞かなくてはならないことだった。

「わたしは、いつまでにここを出て行けばいいのでしょう」

問いかけへの答えは、惨憺《さんたん》たるものだった。

ゲルハルトはユリアネを散々抱いて、その身体の奥底に欲望を吐き出した。嫌がるユリアネの訴えなど無視して、まるで、罰を与えるように。

夜明け近くになってようやく解放されたユリアネは、寝台の中で上掛けを身に巻きつけながら震えていた。

彼は、玩具が自分から離れていこうとしたことに誇りを傷つけられたのだろうか。でも、ミューエが言うとおり、彼が結婚するならば、ユリアネはこの城を出てゆかねばならないはずだ。妻になる人が自分のようなけがらわしい存在を許すはずがないのに。

胸が不吉なほど大きく鼓動し続け、身体はこの上なく疲弊しているのに、目をつぶっても眠れる気がしない。ユリアネは上掛けですっぽりと体を覆い、萎えた手足を動かして寝台を下りた。

箪笥の側に近付き、天板《てんばん》に載せられている針箱に手をかける。

蓋を開け、いっぱいに詰まっている中身を確かめた。裁ち鋏《たちばさみ》、糸切り鋏、指貫《ゆびぬき》。長さの違う針がきれいにピンクッションに並ぶ。他にも、種々の糸やはぎれ、編み針に目打ちなど、ユリアネが幼いころから手入れしつつ愛用している裁縫道具が詰まっていた。

ピンクッションは、ユリアネが六つの冬にひとりで作ったものだ。土台が二重底になっていて、薄く小さなものを入れることができるようになっている。その仕掛けはパウラにも内緒だった。

救いを求めるように、ピンクッションに手を伸ばす。悲しいことがあると、こっそりとこの中に隠した指輪を見ては心を慰められてきた。触れようとして、寸前で思いとどまった。

ゲルハルトはユリアネに、この指輪を見て約束を思い出せと言った。誰かに見せれば彼にまた会えるはずだと。幼いユリアネは、その日を夢見て指輪を隠し続けていたけれど、もうそんなことに意味はないのだ。彼の前に名乗り出ることは決してないだろう。

なのに、どうして、これを捨てることができないのだろう。

針箱の蓋をかたく閉め、のろのろと寝台の上に戻る。

ユリアネは、瞬きを忘れたように石の壁を見つめ、じっと朝を待った。


結局、一睡もできないままに朝を迎えた。

その日は安息日だった。

早朝のミサに参加するため、ユリアネは首筋につけられた吸い跡を丁寧にベールで隠し、ひっそりと静まりかえる部屋を出た。

供の侍女とともに一階に下り、城の裏口に向かおうとしたところで、ユリアネは見慣れぬ少女と遭遇した。

その人は、薔薇の庭の中で花を愛でていた。後ろには年かさの女が控えている。

彼女の年頃はユリアネと同じほどに見えた。まばゆい金色の髪に、磨き抜かれた陶器のような肌の持ち主で、その横顔は人形のように可憐だ。くすんだ珊瑚色のドレスがよく似合っている。どんな大輪の薔薇よりも、彼女は美しかった。

足音に気づいてか、彼女はユリアネと侍女に視線を向けた。緑色の美しい目がユリアネをとらえる。

見覚えのない顔とその気品のある様子に、ユリアネはその人が誰なのかやっと気づいた。慌てて廊下の端に控え、頭を垂れる。

一瞬の沈黙ののちに、少女はその小さなおもてに微笑を浮かべた。

「昨晩、ここを歩いていた女《ひと》ね。待っていたのよ」

玻璃《はり》を思わせるような繊細な声だった。

彼女はユリアネに向けて、顔を上げて、と短く言う。しかし、ユリアネは身体を動かせず、俯いたままだった。

「わたくしはヴィヴィアナ。もうすぐ、ゲルハルトさまと婚約します」

ユリアネは瞬きもできず、凍ったように立ちつくしていた。

「あなた、ゲルハルトさまの囲われものなのでしょう。名前を教えて」

「お嬢さま、どういうおつもりで……」

彼女の問いかけを、背後の女が咎める。ヴィヴィアナはそれを意にも介さない。

「わたくしはゲルハルトさまの妻になるのだから、仲良くしておきたいでしょう。お義姉《ねえ》さまだって、お兄さまの愛人とはうまくやってらっしゃるじゃない。気を悪くしないでね、あなたのことはわたくしが無理やりお城の人から聞き出したのよ。ね、お名前は？」

ユリアネは茫然としながら彼女の信じられないような言葉を聞いている。

鈴を転がすような甘い響きで問いかけられ、ユリアネは声を絞ってやっとのことで返答する。

「……ユリアネともうします……」

彼女が一歩ずつ近づいてくる。その華やかなドレスの裾を見つめていると、思いがけない言葉をかけられる。

「誤解しないでほしいのだけれど、わたくし、結婚したあとも、ゲルハルトさまがあなたを必要とされているのなら、何も申し上げるつもりはないの。先代の侯爵さまは、愛人を作って奥方様を邪険になさったらしいけれど、ゲルハルトさまは決してそんなことはなさらないでしょうから」

話しぶりからすると、ヴィヴィアナはユリアネの素性までは承知していないらしい。そのことに安堵する自分に嫌悪を覚え、ユリアネは暗い気持ちになってしまう。

「ゲルハルトさまのお誕生日のお祝いの席にはあなたも来るの？」

ユリアネは小さく首を振り、否定する。

「いいえ、とんでもないことです」

「では、お祝いは直接ゲルハルトさまに申し上げるの？」

彼はユリアネに祝福されることなど望んでいないし、喜ぶはずもない。

「――わたしは、そのようなことが許される身分ではないので……」

沈んだ声で答えるユリアネに同情するように、彼女は小さく溜息をついた。

「そうなの……。……ああ、引きとめてしまってごめんなさい。教会へお出かけだったのでしょう？」

気をつけてね、と声をかけられ、ユリアネは気まずい心地で辞去の挨拶を済ませる。

身が縮むような思いで彼女の隣を行き過ぎながら、ユリアネは気づかなかった。

冷たい視線が、自分の首筋にぴったりと張り付いていたことに。


その日の昼、ヴィヴィアナからこっそりとお菓子が届けられた。都で流行っているという、糖衣の中に酒や果汁を閉じ込めたキャンディで、部屋付きの侍女と下女にも同じ差し入れをしてくれるという気配りぶりだ。

朝に彼女が「仲良くしたいわ」と言っていたことは、にわかには信じがたいが、本当なのかもしれなかった。ユリアネはヴィヴィアナにお礼を伝えてほしいとお願いして彼女の使いを見送った。

ユリアネは、安息日に教会に行く以外には、部屋に籠って過ごしていた。

これまでなら、虚しく時が経つのを待つだけだっただろうが、今は、無聊《ぶりょう》を慰める手仕事があった。朝から晩まで、ユリアネは飽きもせずに白いドレスを縫っていた。針を運んでいる間だけは、嫌なことを忘れて作業に没頭することができる。一日でも早く完成させて、ひと月足らず後に迫った誓願式を無事に終えたい。

ゲルハルトは、客人が滞在しているにもかかわらず、気紛れに部屋にやってくる。夜明けまでともに過ごすものの、以前にもまして心は離れていた。

せめて子どもができないようにしてほしいという、最低限の願いも聞き入れてはもらえない。ましてや、城を出してほしい、修道院に行くことを許してほしいなどと口にできる状況ではないのだ。

誓願式を受けられたからといって、すぐに何がどうなるというわけでもない。けれど、ユリアネはせめて準備だけはしておきたかった。

この部屋で抱かれるようになって、ユリアネの生活は毎日少しずつ変わっていった。

ゲルハルトは、情事のあとにすぐに使えるよう、隣室に湯を置かせるようになっていた。

侍女たちは、燭台を増やしてみたり、蝋燭を蜜蝋の香りのよいものに変えてみたり、ユリアネの着替えを多めに準備したりと細かな気配りをしている。

ユリアネは、何だか息をしていることさえ後ろめたく思え、部屋には裁縫のために最低限の明かりさえあればよいと、カーテンは半分だけ上げたような状態だ。いつ彼がやってくるかわからないので、縫いかけのドレスをすぐに隠せるよう覆いを準備していた。

昼食にほとんど手を付けなかったユリアネは、午後のお茶にも目をくれず、一心に裁縫にいそしんでいた。

扉が外から叩かれたのにも気づかなかったほどだ。

「お客様がおみえですが」

扉の向こうから侍女に声をかけられ、ユリアネははっとして顔を上げた。ドレスを卓の上に移し、布で覆いながら返事をする。

「どうぞ」

半開きにした扉から、侍女が気まずそうに顔を出す。

「あのう……、それが……」

「どうしたの……？」

立ち上がって扉に近づいたところで、ユリアネは息が止まりそうになった。侍女の後ろに、殺風景な部屋には不似合いなほど可憐な少女、ヴィヴィアナが立っていた。

彼女はユリアネと目が合うと、その翡翠色の目をぱちぱちと瞬《しばたた》かせた。

「いきなりごめんなさい。中庭のお花を切らせてもらったのだけれど、あんまりたくさんになってしまったので、差し上げたくって」

彼女は、色とりどりの薔薇の花を抱えていた。侍女が目くばせしてきたので、ユリアネはとりあえず受け取るようにと頷いた。

「あの、先日はお菓子をいただいて、ありがとうございました。……今日は、どうしてこんなところへおいでに？」

「ゲルハルトさまが一昨日お城を案内してくださったのだけれど、この一角は見せてくださらなかったので、直に見たいと思って」

入ってもいい？　と問いかけられ、拒むこともできずに彼女を招き入れる。ヴィヴィアナからは、華やかな花の香りがした。

「お裁縫していたの？」

部屋を見回していたヴィヴィアナが、卓上の針箱に目を留めて尋ねる。

「何を作っているのか、見ては駄目？」

無邪気な口調でそう聞かれ、ユリアネは慌てて小さく首を振った。

劣等感と恥ずかしさが勝って、ユリアネは消え入るような声で詫びた。

「……申し訳ありません。ヴィヴィアナさまにお見せできるようなものでは……」

彼女は心底残念そうに唇を尖らせた。

「できたら見せてちょうだいね？」

ヴィヴィアナはあどけなく笑って見せる。

同年代の娘と親しんだことのないユリアネに、彼女はまばゆいほどの存在だった。

どうして彼女は、ユリアネにこんな笑顔を見せることができるのだろう。高貴で育ちのよい女性というのは、誰もに分け隔《へだ》てなく接するよう育てられているのだろうが、彼女のそれは生来の愛される気質がなすもののように思われた。

ユリアネのことを苦々しく思わないはずがないのに、心の内に秘めて、あまつさえ卑《いや》しい愛人のもとに自ら足を運んで来てくれる。

そもそも、彼女と自分の身の上を引き比べること自体、不敬で身の程知らずなのだということを思い知らされる。

ゲルハルトに、何て似合いの人なのだろう。

「こちらに来たことは誰にも内緒よ？　本当は近付いては駄目だと言われてるの」

彼女は、そう言って唇の前に人差し指を立てて見せる。

「今度はこっそりお茶をしましょう？　お菓子を持ってくるわ」

いたずらっぽく言って、ヴィヴィアナは春のそよ風のように去って行った。部屋には、むせ返るような薔薇の芳香だけが残った。

数日後、ユリアネは自室の窓から、中庭を散歩するゲルハルトとヴィヴィアナの姿を見た。鋏を手にしたヴィヴィアナが薔薇の花を切るのを、側に付き添ったゲルハルトが受け取って籠に挿してゆく。

ふたりの静かで仲睦まじそうな様子に、ユリアネの胸はどうしてだか締め付けられた。

やがて花が籠一杯にまでなると、ヴィヴィアナが彼を見上げて照れたように微笑みを浮かべる。ふたりは寄り添いながら室内に戻って行った。

窓枠に手をかけると、硝子の冷たさに身が竦むような思いがする。

この部屋の窓は、開けられないよう鍵穴を潰されている。おそらく、父母が身投げしたことから、ユリアネがその後を追わぬようにとゲルハルトが命じたことなのだろう。

たとえこの窓が開いたとしても、ユリアネには、向こうに手を伸ばすことなどできはしない。

しばらくして、再び部屋に薔薇の花が届けられた。

その晩、ゲルハルトは先触れもなくやってきた。

部屋に入るなり、彼はユリアネの肩越しに何かを見つけて片眉を上げた。窓辺に飾った薔薇を見ているのだろう。

「あれは？」

ユリアネは目を逸らし、黙り込んだ。

ゲルハルトは昼間にその花々を抱えていた本人なのだから、出所などわかりきっているだろうに。

「訊いているんだ。答えろ」

「……ヴィヴィアナさまが、たくさん切ったとおっしゃって、寄越してくださいました」

「今日が初めてじゃないな？」

「はい。二度目です」

彼は小さく嘆息し、つまらなそうに告げる。

「——見かけによらず、肝の据わったことをする。交流するのはかまわないが、ほどほどにしておけよ。彼女が嫁いで来れば、どのみちお前を別の場所に移すのだから」

ユリアネは小さく息を呑む。結婚した後もユリアネを囲い続けるつもりだという彼の意思は変わっていないらしい。

ユリアネは目を上げ、勇気を振り絞って訴えた。

「——お願いですから、もう、あんなことは許してください」

「あんなこととは？」

からかうような口調で言いながら、彼はユリアネを寝台に突き飛ばし、着衣に手をかけてくる。彼の逞しい身体を間近に感じながら、ユリアネは腕を突っぱねて離れようとする。

「やめてください！　わたし、耐えられません……」

消え入るような呟きを拾って、ゲルハルトはユリアネにのしかかりながら目線を上げる。

「子どもができたら一生面倒を見てやる。悪い話ではないだろう？」

「神様がお許しになるはずがありません。ヴィヴィアナさまはお優しい方です。こんなの――、こんなの、間違ってる……」

大きな手が寝巻の裾からふくらはぎを辿って、腰の線をなぞる。流されてはいけないと唇を噛みしめる。

「それが何だと言うんだ？」

言い放つゲルハルトの目には、既に情欲の火が灯っていた。

「初めから神に背いているだろう、私たちは」

掠れた声が途切れて、彼の熱い唇が首筋に寄せられる。きつく吸い上げられる痛みに思わず顔が歪んだ。

彼は欲望のはけ口としてユリアネを使う。

きっと、婚約者になるヴィヴィアナのことは、初夜まで大切にするのだろう。

教会で祝福されて結婚を誓った後、柔らかな寝台の中で、羽根《はね》のようなくちづけや甘い睦言を惜しげもなく捧げ、宝物のように愛おしむのだろう。ユリアネは一生知ることのないだろう、ありったけの優しさで。

ゲルハルトの手が寝巻の前を開き、もがくユリアネの肌を暴く。

「やぁ……っ、あッ」

乳房の尖端に乾いた指先が触れ、擦り上げる。ゲルハルトはユリアネの弱い場所を知り尽くしていて、快楽を与えることでユリアネの抵抗をあっけなく封じ込めてしまう。

そんな風に作り変えられてしまった自分の身体が恥ずかしくてたまらない。

誓願式も終えぬ少女のうちに、男女の間のことは何も知らぬまま、淫乱と罵られながら床の上で犯されたことは、ユリアネの心の深い傷になっていた。

一年前、ユリアネが躊躇《ちゅうちょ》せずに修道院へ逃げ延びることができていたら、あんなことにはならなかったのだろう。釣り合いのとれる人と結ばれ、添い遂げる未来があったかもしれない。

ゲルハルトがユリアネの両足を割り開き、愛撫もそこそこに性急に重なってくる。

「――あぁ、いや……っぁ、も、いや……」

大きな熱いものの圧迫感と彼の身体の重みに、ユリアネは一瞬だけ我を忘れた。

愛人になって純潔を失った女を、一体誰が妻にしてくれるだろう。ユリアネはもうこの先、誰とも親密になるつもりはないし、誰かを愛することもできないだろう。操を守り、一生を神に捧げる修道女になることが、今のユリアネの望みだった。

そう希《こいねが》っているのに、現実は違う。

もうすぐ婚約する男と、許婚になる女性が滞在する城の中で関係を持たされている。

ゲルハルトは、ユリアネの母のことを、みだりがわしく忌まわしい女だと思っている。

なのに、彼の父とユリアネの母がしていたことをなぞるようにユリアネを抱く。

ユリアネが、罰するかのような彼の行為を強く拒めないのは、彼の父と自分の母との関係、そしてふたりの死を後ろめたく感じているからだ。

いや、それだけではなかった。愚かにも、ユリアネ自身がゲルハルトに惹かれているのだ。

十年以上前に、たった一度だけ見せてくれた、彼の優しさが忘れられない。再会した後も、その気紛れな言動のひとつひとつにあの日の面影《おもかげ》を見つけては切なくなる。

もしもユリアネがユリアネではなかったら、彼に憎まれていない普通の娘だったなら、遠くから彼の姿を見つめるだけでどれほど幸せな気持ちになれただろう。

彼は、ユリアネのことをいつか捨てるつもりの玩具のようにしか思っていないのに。

こんな胸の内は、決して誰にも気取られたくはない。

もしもゲルハルトがユリアネの気持ちに気づいたら、きっと、腹いせの試みが成功したことに満足して、冷たい嘲笑を浮かべることだろう。

自分はいつまで、あの幼い日の思い出に縋っているのだろう。彼はもうあのときの優しく寂しげだった少年ではなく、ユリアネも母を恋しがる何も知らない子どもではない。

隠し持ち続けている指輪だけが、あの寒い雪の日にユリアネが手にした一片の温もりの記憶が嘘ではなかったことを証明している。

目を閉じ、奥歯を嚙みしめて声を殺す。

ユリアネの身体を知り尽くした彼の手が、快楽を引き出すために動く。愛撫に身を任せながらも、心は冷えていく一方だった。


その日は晴れていた。

ユリアネは夜明け前に目覚め、教会に行く支度をして、侍女と下女とともに城を出た。ゲルハルトに逆らったことで、逃亡を警戒されているのか、供をふたり連れてでなければ外に出してもらえなくなっていた。離れたところから城の私兵も見張っているという徹底ぶりだ。

それだけでなく、パウラの家にも行かせてもらえなくなってしまった。

幽閉されているかのような日々の中で、ヴィヴィアナの無邪気なやさしさは救いであり責苦でもあった。彼女からささやかな贈り物が届くたび、お返しできる術を持たないことが心苦しくなったし、何よりもその日の晩にゲルハルトが訪れるのが辛くなった。

教会でも、何を祈ればよいのかもわからなくなってしまった。

ミサは何事もなく終わったが、奉仕活動の清掃を終えて教会を出ようとしたときに、突然に雨が降り出した。

一行は教会に足止めされた。激しかった雷雨はおさまり、やがて小《こ》ぬか雨《あめ》に変わる。私兵が城に戻って運んできた傘を使って、ユリアネたちはぬかるんだ道を通ってゆっくりと城へと戻った。

ぴったりとふたりの女に挟まれ、ユリアネは息苦しい思いで部屋に帰り着く。やっと一人になった安堵感に肩の力が抜けた。そのときふと室内を見回して、ユリアネはかつてない違和感に気づいた。

卓上で覆いをかけていた、縫いかけのドレスが見当たらないのだ。

覆い布は卓の側に流れ落ちてしまっており、ドレスがあったはずの場所には何もない。

ユリアネは隣室に控える侍女に尋ねた。

「部屋に置いていた、白いドレスを知りませんか」

侍女は下女と顔を見合わせ、いいえと首を振る。

今朝、教会に出かけるときまで、確かにドレスは部屋にあった。ふたりはユリアネとともに城を出て、この部屋はしばらく無人になっていたのだ。

ユリアネは部屋に戻って室内を探し始めた。寝台の周り、家具の裏側、化粧簞笥のなか。窓の周辺まで丹念に調べ、下ろしたきりだったカーテンを掬い上げる。

ふと、開かない窓の外に目線を移す。

硝子の向こうには雨の庭が見える。

数日おきに、ゲルハルトとヴィヴィアナが散歩している場所だが、今日は無人だ。

そこに見慣れぬものを見つけ、ユリアネは小さく目を瞠る。四角く回廊に囲われた中庭の、ちょうどユリアネの部屋の真下にあたる場所に、薄汚れた布の塊《かたまり》が放置されていたのだ。

ユリアネは思わず窓辺から駆け出していた。

「ユリアネさま！　お部屋を出ては――」

侍女が呼び止めるのも聞かず、ユリアネは部屋を飛び出す。三階から一階まで一息に階を駆け下りて、回廊を抜けて中庭に出る。冷たい雨が降り続いていたが、濡れることなど厭わなかった。

咲き誇る薔薇をかき分けてすすみ、その場所まであと数歩に近づいて、ユリアネは足を止めた。布の塊は、植栽を囲むように巡っている排水路の中で、雨と泥に半ば沈んでいた。

よろよろと歩み寄り、思わず地面に膝をつく。四つん這いでにじり寄り、やっとその獣の死がいのような塊に触れる。

「あぁ……」

喉から小さな呻きが漏れた。

汚泥《おでい》に染まり、もう元の色すらわからなくなってしまっていたが、それはユリアネのドレスに他ならなかった。お針子が選んでくれた真白い麻で、仕立て屋の主人が描いてくれた型をとり、このひと月足らず毎日寝食を忘れて縫い進めていたもの。

「どうして……、こんな……」

手が汚れるのもかまわず、ドレスを引き寄せて膝の上に載せる。地面に尻もちをついたような姿勢で、ぐちゃぐちゃのドレスの残骸《ざんがい》を抱きしめた。

思わず顔を上げると、冷たい雨が頬を打った。

回廊の内側から、数人の使用人が足を止めてこちらを見ている。しかし、恥ずかしいとかみっともないとかそんな感情は微塵も湧いてこなかった。

てのひらで布地をこすって泥を落とそうと試みるが、汚れをなすりつけるような結果にしかならない。ドレス全体が薄茶色く染まっているばかりか、胸のあたりや腹部から膝にかけてのスカート部分は、まるで靴で踏みにじられたかのように濃く大きな染みになっていた。

(早く、洗ってきれいにしなくっちゃ)

ユリアネはドレスを抱え上げ、のろのろと立ち上がる。ぬかるみに足を取られながら回廊へ戻ろうとしたとき、ユリアネの後ろから丸い影が近付いてきた。

薄桃色の傘を掲《かか》げた、ヴィヴィアナだった。

「ユリアネさん、どうしたの？」

翡翠色の目を丸くして、彼女が歩み寄ってくる。

「そんなに汚れて……、さ、この傘にお入りになって」

身を寄せてくるヴィヴィアナに驚いて、ユリアネは思わず身を引いていた。彼女が汚れてしまうと思ったのだ。

「申し訳ありません、大丈夫です。汚れていますから、どうか近づかないで——」

ヴィヴィアナは微笑した。ユリアネに薔薇をくれたときと同じ、無垢で無邪気な美しい笑み。

「あら、今着ているドレスも駄目になってしまうわよ。――いくら着るものを持っていないとはいえ、愛人の分際で純白のドレスなんて、感心しないわ」

その言葉に、思わず彼女を凝視する。

「ヴィヴィアナさま――？」

「なあに、その目は」

顎を上げて、彼女はユリアネにだけ聞こえる声で言った。取り巻きの人々は雨の向こうだ。中庭には、ヴィヴィアナとユリアネがふたりきりも同じだった。

「生意気な目ね。やはり、動物と仲良くするにはしつけが肝心なのよね」

愛らしい声で彼女は続けた。

「ご存知？　犬のしつけって、飴と鞭を使い分けて優劣を知らしめるのよ」

「ヴィヴィアナさま、何を……」

「あなたの母親は、しつけのなっていない愛人だったようね。正妻を屋敷から追い出すなんて、ぞっとしちゃうわ」

おおげさに肩を竦める仕草まで、ヴィヴィアナは可憐だった。

「あら、この城の誰でも知っていることでしょ？　あなたの母親が先代侯爵の愛人だったことなんて。この目で見るまでは、まさかゲルハルトさまがその娘を囲っているなんて信じられなかったけれど……。あなたもかわいそうね、そんな風にしか生きられないなんて、血筋なのでしょうけど」

彼女はユリアネに向かって一歩足を進めてくる。

「いまさら、今話していることを誰かに明かしても遅いわよ。わたくしは、努力して愛人に寛容に振る舞うけなげな伯爵令嬢だと思われているわ。あなたの侍女たちにさえね」

美しい笑みが歪んだ。

「あなたが自分の立場を思い知りさえすれば、わたくしたちはうまくやれるわ」

歌うように言って、ヴィヴィアナは自分の傘の中にユリアネを入れた。

「もしも万が一、これから先もゲルハルトさまがあなたを必要とすれば、の話だけれど」

ヴィヴィアナは、自分で口にした言葉に、うっとりと酔うような苦笑を浮かべた。

ふたりは傘のつくる丸い影の中に囲われてしまう。

茫然とするユリアネの目の前で、ヴィヴィアナが左手で髪をかき上げるような仕草をした。それはゆっくりとした動きだった。

彼女は長く美しい爪で、自身の白い顔をひっかいたのだ。

「——きゃあっ」

ヴィヴィアナが甲高《かんだか》く叫び、傘を取り落とす。薄桃色の華やかな傘は泥水を跳ね上げながら地面に転がった。

騒ぎに気づいた使用人たちが一斉にふたりに駆け寄ってくる。後からやって来たミューエに向かって、ヴィヴィアナが顔に手を当てながら訴えた。

「ユリアネさんが、いきなりつかみかかって来て、わたくしの顔を――」

彼女は両手で顔を覆い、わあっとミューエの胸に倒れ込む。

数人の下男がユリアネを取り押さえる。泥まみれのドレスを中庭に置き去りにして、木偶《でく》のように動けないユリアネを三階の自室へと引きずっていった。

見張り付きで部屋に閉じ込められたユリアネのもとに、ミューエが現れた。

初めて対面したときと同じ、仮面のようにこわばった顔のまま、彼女は震える声でユリアネに言った。

「一体、何ということをしでかしたのです。ご婚約を前にした女性の顔に傷を負わせるとは。それも、自分の不始末を棚に上げて、盗みの罪を着せるだなんて！」

ミューエの静かに激した声に、ユリアネはさっきの出来事が人目にはどのように映っているのかということをやっと思い知る。

そして、一年前にミューエがユリアネにかけた、戒めの言葉が思い出された。

『この城にはあなたのことを快く思う者がいないということを弁えて、おかしな考えは起こさないことです』

さっき、ヴィヴィアナも言っていたではないか。ユリアネの侍女たちさえ、ヴィヴィアナを信じるに違いないと。

「この一年で、あなたのことを善い娘かもしれないと思うようになっていたのに。やっぱりあの女の娘。同じ手口を使って人を陥《おとし》れるのね」

彼女の言葉にユリアネは戦慄する。

ミューエに盗みの罪を着せ、屋敷から追い出したのは母だったのだ。

彼女とその夫が自分に向ける複雑な視線の理由はこれだった。

(ああ、そうだ)

このままユリアネが弁解せず、ミューエが言った通りの罪を犯したことになれば、ゲルハルトは自分を心底見限って、この城を追い出してくれるかもしれない。

他の誰に疑われ軽蔑されようとも、ゲルハルトにだけは自分のことを信じてほしかった。

彼に、彼の妻になる人を傷つけたなどと思われたくはない。叱責されたら、きっと正気ではいられない。

けれど、悲しくても、苦しくても、黙っていることが誰のためにもなるのかもしれない。

「間もなくゲルハルトさまがお戻りになったら、仔細《しさい》余さずご報告します。それまでここで大人しくしておいでなさい」

そういって彼女は踵を返した。

外から鍵がかけられる重い音が部屋に響いた。

伯爵とともに出かけた遠駆けで、ゲルハルトは雨に降られ、びしょ濡れになって帰城した。ゲルハルトを出迎えたのは、騒然とする使用人たちと、神妙な面持ちをしたミューエだった。

ミューエはゲルハルトと伯爵を暖まった居間に招き入れ、身体を拭くものと着替えとを用意させながら、ふたりが不在の間に城で起こったことを手短に説明した。

ユリアネが縫いかけていた誓願式を受けるためのドレスが、ユリアネが不在の間に紛失したこと。

ヴィヴィアナは、中庭でドレスを見つけて雨に打たれるユリアネを心配し、傘を差し出した。しかし、ドレスを盗んだのではないか、とユリアネに疑われて摑みかかられ、そのときに顔に傷を付けられてしまったと言っていること。

その様子は遠巻きながら使用人たちが見ていたということ。

ユリアネは、弁解もせず、ただ黙っているらしい。

伯爵は妹の身を案じて、転がるようにヴィヴィアナの部屋に向かっていった。

ミューエはゲルハルトに、ユリアネが作っていたというドレスを見せた。

それは油紙に包まれ、横たえられるように床に置かれていた。長い時間雨に打たれていたらしく、汚泥に染まって元の色がわからないほどになっていた。まるで獣の骸《むくろ》のようだ。

ドレスから目を上げ、ゲルハルトはミューエに問うた。

「ヴィヴィアナの傷は？」

「鋭い爪でつけられたと見え、血も滲んでおりました。医師を呼んで治療しています。宴まではまだ日がありますので、治るやもしれませんが……」

「治るかもしれんが、何だ」

「ヴィヴィアナさまはこれまで、お菓子やお花を届けられたりとユリアネを大変気遣い、歩み寄ろうとしてくださっていました。それは気遣いすぎるというほどで、城中の誰もが知っていることです。ですから、ユリアネに裏切られたことへのお嘆きがひどく、意気消沈されて、おいたわしいほどでございます」

それはゲルハルトも見知っていることだった。ヴィヴィアナはゲルハルトにこそ何も言わなかったが、ユリアネの部屋に何度か薔薇を届けさせていた。

「そうか」

ミューエの言葉には一見筋が通っており、疑う余地はほとんどないように思われた。

ただ、ゲルハルト自身が、ユリアネがそんな真似をしたという話をにわかには受け入れがたいだけだ。

初めて抱いたとき、ユリアネは何も知らない処女《おとめ》だった。ゲルハルトの愛人になったあとも、欲しいものひとつ口にせず、城の片隅でひっそりと息を潜めるようにして暮らしていた。

ヴィヴィアナがやってきたあとは、いつ出ていけばよいかとゲルハルトに尋ねてきた。部屋を訪れるたび、この世の終わりのような顔をして自分を責め、すすり泣きながらゲルハルトを拒もうとした。

人を傷つけるくらいなら自分を殺すような娘だ。

全て芝居だったというのだろうか。

「あれはどうしている？」

「ユリアネは部屋で謹慎《きんしん》させています。どうか、すぐにでもヴィヴィアナさまを見舞って差し上げてくださいませ。どんなに心細くされていることか」

短く頷くと、ミューエがヴィヴィアナの部屋に先触れを出す。

手早く着替えを済ませ、客室へ向かいながら、ゲルハルトはひとつの確信を得ていた。

ゲルハルトを出迎えたのは、肩を怒らせた伯爵だった。

「君は愛人にどんな教育をしているのかね。ヴィヴィアナは卑しい女にも気遣いを忘れずに優しくしてやっていたというのに、飼い犬に手を噛まれるとはこのことだ！」

鼻息を荒くして憤慨する伯爵の前を通り過ぎ、寝台に近づいた。伯爵夫人と医師が側に立っており、ヴィヴィアナは寝台の上で身を起こしている。その左頬には白い布が当てられている。傷口を覆っているのだろう。

下がろうとする医師を手で留めながら、ヴィヴィアナに声をかける。

「顔にけがをされたと聞きました。お具合は」

彼女は翡翠色の目いっぱいに涙を溜めた。声を上げるかと思いきや、唇をぎゅっと噛みしめて左頬を手で覆う。傷ついた自分を見せつけ訴えるような仕草だ。その薄いてのひら、細い指先を飾る薄紅色の磨き抜かれた長い爪。

「お辛いかもしれませんが、傷を見せていただけませんか」

ヴィヴィアナはたっぷりとためらったあと、つい今しがた施されただろう当て布をゆっくりと取った。

ゲルハルトは寝台の中で震えるヴィヴィアナを見下ろした。身を屈め、その左頬に視線を合わせる。

「痛かったことでしょう。先程の出来事を私に聞かせてくれませんか。あなたに傷をつけた者を、厳しく判じたいので」

薔薇の花びらのような唇がわなわなと震え、一度引き結ばれる。長い沈黙の後、傷口に当て布を戻し、ヴィヴィアナは話し始めた。

「わたくしがいけなかったのですわ。ユリアネさんは、ドレスをこっそりとつくっていらしたのに、わたくし、お部屋にうかがったとき、不用意にそのことに触れて、出来上がったら見せてくださいなどと言ってしまったのです。だから、ドレスがなくなったとき、真っ先にわたくしを疑ったのよ」

ヴィヴィアナの声が不安そうに揺らぐ。ゆっくりと、ひとつひとつ、彼女は言葉を選んでゆく。

「わたくしに見られたくなかったのは、あの白いドレスがゲルハルトさまのお誕生日に着るはずだったものなのだからでしょう？　わたくしには宴には出ない、ゲルハルトさまへのお祝いもしないと言っていたけれど、そんなはずないもの」

「ドレスは中庭に落ちていたのですね。あなたと何度か薔薇を摘んだ場所だ」

「ええ、きっと秋風がいたずらをして、ドレスを窓の外に運んで行ってしまったのよ……。泥まみれになったドレスを抱えて、ユリアネさんは中庭の端に茫然と座り込んでいらっしゃいました。わたくし後ろから声をおかけしましたの。そうしたら、傘を差し出した拍子に、ユリアネさんは盗んだのはわたくしだろうって言いがかりを――！」

彼女は両手で顔を覆った。華奢な肩が細い嗚咽に小刻みに震えている。その背中を伯爵夫人が宥めてやっている。

ゲルハルトはその様子から目を離さぬまま、医師に問いかける。

「先生。顔の傷の具合は？」

「今は血が滲んでひどく見えますが、細い傷ですから、すぐかさぶたになり跡も残らないかと存じます」

「一緒にいた女は泥まみれだったのでしょう。傷口が膿《う》む心配はありませんか」

「泥は入っていなかったようです。どうかご安心ください」

医師が言い終わらぬうちに、伯爵夫人が深いため息をついた。

「まだ十六の娘の顔に傷をつけたのですよ。あの女は厳しく処罰してくださるのでしょうね？　わたくしどもを安心させてくださいますわね？」

「ええ、もちろん。傷をつけた者は、未来永劫、領内への立ち入りを許さぬつもりです」

「当然です。そして、この哀れなヴィヴィアナを早く慰めてやってくださいまし」

苦笑し、ゲルハルトは義姉《あね》の腕の中で泣き崩れるヴィヴィアナを冷たく見下ろした。その白い指の間から涙まで流れているのが見える。

「その必要が本当にありますか？　傷は、ご自分で加減してつけられたものなのでは」

ゲルハルトの言葉に、その場がしんと静まり返った。

伯爵夫妻はあっけにとられて目を見張り、ヴィヴィアナは顔を両手で隠したまま動かない。

「あの女の爪は、私と同じかそれより短い。そして、泥まみれのドレスに触れていたせいで汚れていたはずだ。きれいな引っ掻き傷ができたことがおかしいとは思いませんか」

「なっ……」

伯爵夫人は絶句した。

ヴィヴィアナは寝台の上に前のめりになって手を突く。顔の当て布が外れてぽろりと落ちた。

「ドレスは窓の下に落ちていたというが、あの部屋の窓は開かぬつくりになっています。この城のごく一部の者しか知らぬことですが」

それは、ゲルハルトがユリアネをあの部屋に住まわせるために行った処置だった。絶望したあの娘が父母と同じ身投げをしないように鍵を潰したのだ。

「誰かが運ばぬ限り、庭に落ちていることなどありえない」

ヴィヴィアナの顔がたちまち血の気を失う。唇も青ざめて病人のようだ。

「仮に……仮にそうだとして、あんな女をかばわれますの？　愛人の娘なのに」

「話しておかなくてはならないことだったが、この城で人殺しの次に重い罪は、罪を人に着せること。そして人のものを盗むことだ。相手があなただろうと、罪人があの女だろうと罪の重さは変わらない。逆もまた同様です」

なぜならば、ゲルハルトの母は、その罪に陥れられて身を滅ぼした人だからだ。

ゲルハルトは、蒼白な顔のヴィヴィアナからその兄へ視線を移す。

伯爵は妹の顔を見つめながらぶるぶると拳を震わせている。

彼に向かってゲルハルトは最後の忠告をした。

「伯爵。即刻お引き取りいただけるなら、今度のことは誰にも明かさず、縁談は私の事情で流れたことにしましょう。悪い話ではないはずです。こんな話が外に漏れたら、妹ぎみの嫁入り先にお困りになるのはそちらでしょうから」

ゲルハルトは、もの言いたげな伯爵夫人を目で制した。

「こちらの条件は、二度とこの城に足を踏み入れず、このことを口外しないこと。いかがです」

伯爵はしばらく思案した。そして、算盤《そろばん》をはじいて落とし所を見つけたのだろう、深くため息をついて顎髭を撫でる。

「……陛下には、この事を言わないでくれるかね」

「かまいません。ご興味もないと思いますが」

「──お兄様！」

悲鳴のような切なげな声でヴィヴィアナは伯爵を呼んだが、彼は冷淡だった。

「ヴィヴィアナ。困ったことをしてくれたものだ。……もう少し賢く立ち回ればよいものを……」

ヴィヴィアナは嘆息する兄からゲルハルトに視線を振り向ける。

「待ってくださいっ、ゲルハルトさまっ！　わたくし、悪気はなかったのです！」

彼女は寝台の上で膝立ちになり、前のめりにゲルハルトに縋りついてきた。その白い手がゲルハルトの胸元を摑もうと伸ばされたので、ゲルハルトはとっさに身を引いた。鋭い爪がシャツの襟にかかり、絹の生地を裂く音が部屋に響いた。

「誰が相手だろうと、悪気なく人を陥れるような、そういう性根の人との付き合いは遠慮したいものです。後継ぎの母とするなど、言語道断だ」

ゲルハルトはその手を振り払い、彼女に背を向けた。伯爵に目礼し、踵を返す。

「失礼」

ゲルハルトは足早に客室を出た。一階に下り、居間に戻った彼を再び迎えたのはミューエだ。

「ヴィヴィアナさまにはお会いになられましたか？　お加減はいかがでしたか？」

彼女は、存外に早いゲルハルトの戻りに驚いた様子を見せた。

「会った。ヴィヴィアナの芝居だった」

「は？」

「ドレスを盗み出し、汚して捨てたのはヴィヴィアナのしわざだ。自分で顔に傷をつけたんだ。あれに濡れ衣を着せるために」

「まさか……」

「問い詰めたら、あっさり悪気はなかったなどと言って認めたぞ。今日まで準備を進めてきてくれた皆には悪いが、縁談は白紙、誕生日祝いの宴も取りやめだ。せめて、親族たちが着く前でよかったと言うべきか……」

「それは何とでもなりましょうが、伯爵はご納得のことなのですか？」

「陛下には明かさないと約束したら引き下がった。一行は今日明日にでも発つはずだから、丁重に見送ってやれよ」

　ゲルハルトは、信じられない様子のミューエから、床の上で油紙に包まれているドレスに視線を移す。元は純白だっただろうドレスが、今は泥まみれで、無残にふみつけられたような跡まで残っている。

「これは、洗っても元通りにはならないのか？」

　ミューエも床の上のものを見下ろす。そして、困ったように眉を下げて言った。

「元の色に戻すのは、難しいでしょう」

「そうか」

頷くゲルハルトに聞こえるか聞こえないかの声で、ミューエがぽつりと零した。

「わたくし、あの娘を疑って、むごいことを言いました」

その呟きを拾って、ゲルハルトは目を閉じた。

「人に濡れ衣を着せるような真似をするのは、血筋だと言ったのです。母親とあの娘が重なって見え、濡れ衣を着せられたヴィヴィアナさまが奥様に……いいえ、わが身のように思われたのです。あの娘は、倒れたわたくしを看病までしてくれたのに。まだその礼も言っていなかったのに――」

ミューエは、いつもはぴんと伸ばしている背を丸め、力なく項垂《うなだ》れる。ゲルハルトはその肩を軽く叩いた。

「後で、謝るといいだろう」

そう言って、ミューエを残して部屋を出た。長い廊下を渡り、ユリアネの部屋を目指した。


ユリアネの部屋を私兵が見張っていた。

その前を通り過ぎ、ミューエから取り上げた鍵で扉を開ける。そっと戸を開けて足を踏み入れるが、カーテンを下ろされたままの部屋は暗かった。

目が慣れたので、部屋中を見渡す。

ユリアネは、窓の下にうずくまっていた。着替えも許されていないらしく、髪もドレスも濡れたままだ。

ゲルハルトは、背後に控える侍女に、すぐに湯の支度をするよう言いつけ、下がらせる。

ユリアネはその声に目を上げた。入って来たのがゲルハルトだと気づいたらしい。物言わぬまま目を見張っている。

後ろ手に扉を閉め、彼女に一歩近づいた。

その瞼が少し腫《は》れ、頬も濡れているのを見て、ゲルハルトは胸の奥底がかっと熱くなるのを感じた。

ゲルハルトはいつも、ユリアネが困り、苦しみ、傷つけばいいと思っている。彼女は今、大事なものを盗まれ汚され、それればかりかひどい濡れ衣を着せられて気落ちしている。これでよかったはずなのだ。なのに、苛立ちは収まるどころか膨らむ一方だった。

彼女が、自分以外の人間に泣かされていることが腹立たしい。

ふたりは無言で見つめあった。

泥だらけのドレスを抱えていたためか、ユリアネの膝のあたりから胸元までがべっとりと黒く汚れている。膝を抱える両手も土まみれのままだ。

「ひどい格好だな」

慰めてやりたいのに、傲慢《ごうまん》な言葉が口をついた。

ユリアネは一瞬だけ目を揺らしたが、すぐに睫毛を伏せた。

ゲルハルトは彼女の肩に手を伸ばし、乱暴に摑んで引っ張り上げる。よろめきながら彼女は立ち上がった。ふたりは窓を挟んで向かい合う格好になる。

「そうやってだんまりを決め込んでいれば、ヴィヴィアナの言う通り罪を犯したことになって、ここから出られるとでも思ったか。あいにくだったな」

彼女はぼんやりと顔を上げた。

「……わたしは、罰を受けるのではないのですか？」

「ヴィヴィアナが、おまえにしたことを認めたんだ。ドレスを中庭に捨て、人目のある場所におまえを誘い出したうえで自分を傷つけたことにさせるつもりだったんだろう。……なぜ責められても黙っていた。弁解しなかったんだ」

問いただしながら、ゲルハルトにはその答えがわかっていた。

ゲルハルトから離れたいからだ。強いられた愛人関係に耐えかねているからだ。

「誓願式のドレスとはどういうことだ。おまえ、まだ――」

ユリアネは十六だ。同じ年のヴィヴィアナはちょうど一年前の秋にとうに式を済ませ、ゲルハルトとの婚約を待つばかりの身となっていた。

「私がおまえを連れてきたから、誓願式を受けられなかったのか？」

ユリアネは細い眉を僅かに寄せた。言葉はなかったが、それが返答だった。

彼女は静かな声で言った。

「ドレスを自分で用意するようにと、司祭さまがおっしゃったので、城下の仕立て屋に布地を取り寄せてもらって、急いで縫っていました」

　この教区の司祭は代々、上昇志向とともに身分意識が強くて傲慢なところがある。領主に蔑ろにされている愛人は、取り入っても何の益もない存在だ。むしろ、領主の妻になる者への体面を考えれば、冷たくして距離を置いていた方が後あと有利になる。

　一年遅れの誓願式を受けたいという弱みを持っているユリアネならば、なおのこと容易く言いくるめることができただろう。

「自分で用意するなど聞いたことがない。それでは貧しい者が式を受けられない。着るものなんて、家族の作ったもの、譲り受けたものでかまわないはずだ」

　そう強く言ってやると、ユリアネは泣き笑いのような表情を浮かべた。

「やはり、そうだったんですね」

　悲しみにいろいろなものを諦めきったような笑みに、胸が締め付けられる。

　さらに追い打ちをかけることになるとわかっていながら、ゲルハルトは告げるしかなかった。

「あのドレスは元通りにするのは難しそうだ。――代わりに、急いで新しいものを仕立ててやる」

　ゲルハルトは、思わず埋め合わせの提案をしてしまった自分に驚いていた。

　ユリアネもびっくりしたように目を丸くし、そしてすぐに目を伏せた。

「いいえ。親のいないわたしは、やっぱり自分で何とかしなくては。たとえ司祭さまがおっしゃったことが嘘なのだとしても、そんな風にいただくのは間違っていますもの」

落ち着いた声で拒絶され、ゲルハルトは言葉を失う。

すぐにでも司祭に不服を申し入れようと決意する。その気配を悟ったかのように、彼女はしっかりとした口調で言った。

「ドレスのことは、明日にでも、教会にうかがって司祭さまにお願いします。自分できっと何とかしますから」

ゲルハルトの胸の内を見透かしたような言葉に、ぐっと押し黙る。

「おまえが……」

ゲルハルトの唇から、低い声がもれた。

「おまえが誓願式を受けられなかったのは私のせいなんだぞ。司祭に侮られているのも私に愛人などにされているからだ。何か言いたいことはないのか？」

ユリアネの紫色の目は、暗闇の中では灰色に見える。その目にいっぱいに涙が溜まり、目のふちを超えて溢れそうになったとき、彼女はゲルハルトにさっと背を向けた。

「……な……、なにも」

その声は泣き濡れていた。

ゲルハルトはこちらを向かせようとした。しかし、彼女の華奢な肩が震えているのに気がついて伸ばした手をひっこめた。代わりに、胸元から白いチーフを抜き取り、背後から彼女に差し出した。

　気づいたユリアネが小さく首を傾げる。ゲルハルトはつっけんどんに言った。

「使え」

　ユリアネの手が少し持ち上がり、止まった。

「……でも……」

　汚れた手で受け取ることを躊躇しているらしい。

「じゃあ、動かずにいろ」

　ゲルハルトは、彼女の頭が自分の胸の下にくる近さまで歩み寄る。後ろから手を回して、チーフで彼女の頬を拭い、触れるか触れぬかの力で目の下を押さえる。

　彼女は、びっくりしたように固まってされるがままになっていた。

　そうしてゲルハルトは、ユリアネの顔中の涙を拭きとってしまった。隣で入浴しろと言うつもりだったのに、それならば顔だけきれいにしてしまっても特段の意味はないはずなのに、なぜだかこうせずにいられなかったのだ。

　どちらかが声を発するでもなく立ちつくしていると、侍女が扉の向こうから声をかけてきた。入浴の支度が整ったということだった。

「身体を温めて、着替えてこい」

　ユリアネは子どものように素直に頷くと、ゆっくりと部屋を出て行った。一度だけ彼女がこちらを振り向いた気配があったが、ゲルハルトは気づかないふりをした。

ユリアネは、落ち着かない心地で、ゲルハルトが用意させてくれていた湯を使った。侍女たちはゲルハルトがユリアネを抱くために訪れたと思ったのだろう。真昼だというのに寝巻を差し出されたので、戸惑いながらも用意されたものを身に纏い、部屋に戻る。彼は寝台に軽く腰かけ、窓の外を眺めていた。ユリアネが戻った気配に気づいて、彼はこちらに首を巡らせ、無言で立ち上がり、歩き出した。ユリアネの目の前で一旦足を止める。

「もう、戻る」

彼の着ているシャツの釦が、一つ、取れかけていた。よく見れば、前立てと前身ごろの継ぎ目に小さな裂け目までできていた。

直してあげたい、とユリアネは思った。言葉よりも先に手が動いて、彼の胸元に手を伸ばしていた。

「ああ……。捨てねばならんな」

ゲルハルトは、ユリアネの指先にあるものを見て、苦笑した。

ユリアネはおずおずと申し出る。

「少し、お時間をいただけませんか。繕ってみたいと思います」

そう言うと、彼は不思議そうな顔をして、しばしの沈黙のあと頷いた。

侍女がゲルハルトの着替えを持ってきてくれたので、ユリアネは彼の脱いだシャツを片手に針箱を持ち出した。それを卓の上に据え、上蓋を開ける。

ゲルハルトは出ていかなかった。その代わり、向かいの椅子に腰かけ、ユリアネの手元をじっと見ている。

ユリアネは気恥ずかしい思いで鋏を取り出した。

繕い物は、刺繍の次にみっちりとパウラに仕込まれた。ユリアネは幼いころから、ドレスも下着も、着られる限り大切に着るよう教えられて育ったのだ。

取れかけていた釦は取ってしまった。前身ごろの裂け目は、裏から布を当てて、前立ての縫い目に合わせて目立たぬよう細い糸で繕う。最後に釦を元通りの場所に縫い付けた。全く元通りとまではいかないまでも、近くで見ても繕い跡には気づかれない出来だと思う。

「これで、大丈夫かと思うのですが……」

言いながら、彼にシャツを差し出した。彼は受け取ったものをじっと見下ろしている。

ユリアネは少しどきどきしながら彼を見つめる。

今、ゲルハルトとユリアネは、指輪を隠した針箱を間に挟んで向かい合っていた。もしも今、あれを取り出して彼に見せたら、思い出してくれるだろうか。ユリアネはそんな思い付きを胸の中で笑う。

「――上手いものだ」

既視感を覚え、ユリアネは小さく目を見張る。

十年程前、母に贈るつもりの刺繍のリボンを見せたときに、彼がくれた言葉。短いぶっきらぼうな、けれどもとても温かい賛辞。

「ありがとう」

ぽつりとつぶやいて、彼はシャツを手にそそくさと席を立つ。

「教会で司祭と話をしたら、私のところに報告に来い。必ずだ」

背中を向けたまま、彼は淡々とそう言って、すぐに部屋を出て行った。

窓辺には、彼がユリアネの涙を拭うのに使った、白いチーフが残されていた。

ユリアネはそれをそっと手に取り、いつまでも眺めていた。

6 初恋の爪痕《つめあと》

翌日は、昨日の雨が嘘のように晴れた。

ユリアネは午前中のうちに、侍女ひとりを供に城を出て教会へと赴いた。

城の裏口を出るとき、いつもより騒がしい様子なのが気にかかったが、使用人たちはユリアネの姿を見るとぴたりと静まり、何だか気味が悪いほどだった。

司祭は、訪れたユリアネを面倒そうな顔で出迎えた。ふたりは侍女を外に残して聖堂に入った。聖堂は、ステンドグラスから差しこむ色とりどりの陽光に彩られ、華やかな美しさだった。

ユリアネは、司祭におおまかな事情を打ち明けた。

誓願式のドレスを用意していたこと、それがやむにやまれぬ事情で失われて着られなくなってしまったこと、真新しいものではないが、晴れ着として着て恥ずかしくない他のドレスで誓願式に出席させてほしいということ。

司祭は、ユリアネが司祭の言葉が嘘だと知っていることを察したようだった。

「そういう事情ならば、ドレスのことはいいだろう。次の安息日に告解を受けなさい」

ユリアネは思わず顔を上げる。司祭の顔を見つめ、礼を言おうとした。しかし、彼がうっすらと高慢な笑みを湛えているのに気がついて、違和感を覚える。

「司祭さま……？」

「告解で、おまえの罪を全て悔い改めなさい。臨終の秘跡を受けぬまま死んだ、おまえの父と母の分も。知っているだろう？　おまえの父親が、盗みの罪を犯して、それが露見したために自ら死を選んだということは。おまえの母親が有難くも侯爵に求婚されながら身投げしたということもね」

普段は神聖な儀式の祭句と説教を紡ぐ声が、ユリアネの知らない事実を朗々と口にする。

ユリアネは、並べ立てられた信じがたい内容に言葉を失った。

全身からゆっくりと血の気が引く。指先が冷たくなって、動かなくなってゆく。

「……うそ……」

ユリアネは、塞がりそうな喉から、やっと声を絞り出す。

「そんなの、うそです。わたしの父は、母は――」

父と母は、どうだというのだろう。

ユリアネは、父母のことを知らなかった。父はユリアネが歩き出す前に亡くなってしまった。墓の場所さえ知らないままだ。母とは、六つになるまでの間に、片手の指で足りるほどしか会ったことがない。ふたりとの思い出は悲しいほど遠かった。

「認めがたいだろうがおまえは認めなくてはいけないよ。おまえの父はね、画家として侯爵の城に招かれた身でありながら、侯爵夫人の部屋に立ち入ることを許されたのをいいことに、宝石を盗み出して捕えられたのだ。お優しかった侯爵夫人はそれを庇って『その宝石は差し上げたものです』とおっしゃったそうじゃないか。なのに、そのお心をはかることもせずにあの城から身を投げて死んだ。だからどこにも墓がない。眠りにつけないのだ」

ぶるぶると両手が震え始める。耳を塞いでしまいたいのに、縫いとめられてしまったかのようにその場所を動くことができない。

「おまえの母親の方は、そんな夫の喪も明けぬうちに侯爵に取り入って愛人の座におさまった。私がこの教会にやって来てから、一度もミサには参加していなかったのだ。なのに、去年の秋の初めだったか、いきなり教会に転がりこんできて、告解を受けさせてくれと頼み込んできてね。まるで今日のおまえのようだったよ」

司祭の肩越しに、十字架を掲げた祭壇が見える。

ユリアネは、自分が、途方もない大きな罪を犯した咎人《とがびと》になったような心地がしていた。

「よくよく話を聞いてみれば、侯爵に求婚され、罪深さにおののいているというじゃないか。私にはどうしてやることもできない問題だからね、きちんと侯爵と話し合うよう諭して、侯爵にもそのことを伝えて差し上げたのだよ。なのに、自ら死を選び、罪に罪を重ねてしまったのだ」

　告解の秘密は絶対だ。司祭が死と引き換えにしてでも守らなくてはいけないもののはずだった。母の話は、母がした告解のとおりなのだろう。では、父の話は。

（侯爵さま？　侯爵夫人？　……もう、誰でもいい）

　司祭は亡くなった人の心を暴き立て、ユリアネを裁く。間違っているはずなのに、ユリアネにはもう反論する気力もなかった。

「両親の罪を認め、素直に悔いると言うのなら、誓願式に参加することを許そう。何、まだ日はある。城に帰ってゆっくりと考えるのだ。いいね？」

　そう言って司祭は聖堂の扉を開け、外に出るようユリアネに促した。

「ここにいるのが辛いのなら、侯爵にお願いして、別の場所に居を移し、違う教会へ通ってはどうだね。いや、おまえを心配して言っているのだよ」

　耳に吹き込まれた優しげな言葉に、ユリアネはようやく気がついた。

　司祭は、ユリアネを自分の教会に通わせたくないのだ。けがらわしい存在だから姿も見たくないのだろう。そんな人の言うことを信じたくはないのに。

　無言で悄然と立ち尽くすユリアネに、侍女が近づいてくる。

「もうお城に戻られますの？」

　ユリアネは首を振った。

「寄るところがあります。心配なら、随いてきてください」

そう言って、教会の敷地を出て、町はずれのパウラの家に向かった。

パウラは驚いて出迎えてくれた。ユリアネのただならぬ様子に気づいて、慌てた様子で部屋に入れ、椅子を勧める。

ユリアネは戸口に立ちつくしたまま、暖炉の炎を見つめながら問いかける。

「……本当のことを教えて」

パウラは以前、ユリアネに、父は自害したのではないと言った。母もパウラもそれを知っているのだと。神父の話とは決定的に食い違っていた。

「お父さまは、侯爵夫人の宝石を盗んで、それが露見したから自ら死を選んだの？」

彼女が小さく息を呑むのがわかった。目を上げると、彼女が、このときを恐れていたとでもいうような強張った顔をしているのが見える。

「お父さまは盗みの罪を犯したの？」

ユリアネの知っている父の話といえば、全て、乳母だったパウラから伝聞した昔話ばかり。顔も声もユリアネの記憶には残っていない。

「侯爵夫人はそれでもお父さまを庇ったって。宝石は自分があげたと言ったんだって」

それが真実なら、母は、父を庇ってくれた夫人への恩を、侯爵を誘惑して別居に追い込むと言う不義理で返したことになる。

　ユリアネは、父母がそんなことをしたとは信じたくはない。司祭の言葉に惑わされたくはない。でも、否定できるだけの理由ももたない。ふたりとともに過ごした時間があまりに短すぎたのだ。

「決してそんなことはありません。神に誓って」

　諭すような口調のパウラの言葉を、ユリアネは信じられなかった。

「でも、その神様にお仕えする司祭さまが言っていたのよ」

「侯爵夫人の話を信じたのでしょう」

　パウラは動じていなかった。まるで、全てを知っているのにこれまで意図して隠してきたかのような落ち着き具合だ。

「侯爵夫人のその言葉で、お父さまは殺されたも同じなのです」

　パウラはユリアネの背後に回り、肩を抱くと、椅子に腰かけさせた。彼女自身は暖炉の前に戻り、火に新しい薪《まき》をくべ始める。

「ことの始まりは、ユリアネさまが一つになられるまえの秋。当時新進気鋭の画家だったフランツさまは、侯爵夫人に招かれて、夫人とご令息の肖像画を描くことになりました」

　ぱちぱちと爆《は》ぜる火を見つめながら、ゆっくりと彼女は話しだした。

　パウラが父を名前で呼ぶのは、ユリアネの記憶にある限り初めてのことだ。

「フランツさまは、お母さまとユリアネさまを都の邸宅に残して、ひと冬をあの城で過ごすため旅立ってゆかれました。お母さまとユリアネさまの小さな肖像画を携え、会えない間もこれを見て家族を思い出すと言って」

ユリアネは、父の描いた絵を見たことがない。今になって、それが奇妙なことだと気づく。

「今は亡き侯爵は、フランツさまの描いた絵を見たのです。そして、そこに描かれていたお母さまが欲しくなった。だから、フランツさまに盗みの罪を着せて捕えました。フランツさまが小さなご令息の遊び相手になっていたのをよいことに、フランツさまがご令息をだまして宝石を盗ませたと、そうでっちあげたのです。ご丁寧に宝石をフランツさまの荷物に忍ばせて」

「でっちあげ……？」

「フランツさまも、そして侯爵夫人もご令息も、身に覚えがないと否定したのです。でもどうしてもお母さまを手に入れたい侯爵は追及の手を緩めなかった。だから、夫人はことをおさめるためにやむにやまれず言ったのでしょう。宝石は自分が渡したのだと。でもその発言は、フランツさまの手元に宝石があったことを肯定するものでしかなく、フランツさまが潔白を訴えても、もはや、耳を貸す者はいなかった。牢から出されたフランツさまは絶望して城から身を投げた。侯爵夫人をはじめ、城の者たちはそう信じていたようです」

「そう、信じていたって……」

ユリアネが繰り返した言葉に、パウラは苦笑とも悔悟《かいご》ともとれる動きで唇を歪めた。

「本当は違うのです。夫人が意外にもフランツさまをかばったので、盗みの罪を告発するという侯爵の当初の計画は狂ってしまった。だから、侯爵はフランツさまの命を奪ったのです。自殺に見せかけて海に投げ込めば、なきがらは見つからないのですから」

「う……、うそ」

「そんなことを知る由もないお母さまは、夫が死んだと聞かされて、侯爵が寄越した迎えの馬車に乗りました。そして、侯爵に、フランツさまが宝石を盗み、罪を悔いて死んだのだと、悪辣な嘘を吹き込まれた。夫を告発しないかわりに愛人になれと強いられ、抗《あらが》えずに囲い込まれてしまったのです」

ユリアネは、信じがたい過去をいちどきに聞かされ、溢れるような情報を受け止めきれないほど混乱していた。司祭の話もパウラの話もとても真実とは思えなかった。

なぜ、そんな大切なことが今まで伏せられてきたというのか。

「お母さまが侯爵の策略に気づいたのは、その五年後。お母さまは、侯爵の部屋に隠されていた、ご自身とユリアネさまの小さな肖像画を見つけたのです。そして、侯爵の日記を読んで、彼がフランツさまを殺めたことを知った」

錯綜していた記憶が、十年前の出来事とひとつひとつ符合してゆく。

「お母さまはその絵を、侯爵から奪い返した……？」

ぽつりと呟いたユリアネに、パウラは深く頷いた。

大切なものを盗まれ、狂ったように探し回らせた侯爵。

盗みの罪を着せられて侯爵の元を離れた侯爵夫人。

盗んでいません、信じてください、と熱にうなされて繰り返していたミューエ。

妻と長年の離別を強いられたゴルドー。

そして、母上は遠いところにいる、と寂しそうに笑ったゲルハルト。彼がユリアネの母を憎悪していたのは、このためだったのだ。

「侯爵は真っ先に自分の妻を疑い、侍女に嫌疑をかけ、とうとう追い出した。何てあさましく、心の弱い男」

パウラは、長年胸に秘めていた憎悪を吐き出すように言い捨てた。

「もしそれが本当なら、どうしてお母さまは逃げ出さなかったの。もしもわたしなら、そんな人の側には、一時だって……」

言いながら、ユリアネは雷に打たれたように息を止めた。

思い当たったのは、自分も同じことを考えたことがあったからだ。

ゲルハルトの愛人にされて間もなく、彼がパウラを城下に住まわせるようになった。そのときユリアネは、パウラの無事が嬉しかったのと同時に、これから決して彼には逆らえないと思い知ったのだ。

「わたしがいたから……？　わたしがいたから、お母さまは侯爵の言いなりになっていたの？」

パウラは辛そうに眉を寄せ、答えなかったが、それは肯定と同じだった。

「病気だというのは嘘だったの？　会えなくなったのは、侯爵さまに禁じられたからなのね？」

「確かに、お母さまはご病気ではありませんでした。おそらく、視力を失っておられたのだと思います。手紙を書くことも、あんなに得意でお好きだった刺繍を刺すことも、できなくなっていましたから。覚えておいでですか。毎日のように使者が屋敷を訪れていたこと」

ユリアネは力なく頷いた。

「お母さまは侯爵と約束していたそうです。自分が侯爵の側にいる限り、毎日一枚ずつ娘に金貨を届けてくれと。それで安否が伝わるからと。金貨は、一年前の秋に突然途絶えました。それで、お母さまの身にただならぬことが起きたことがわかったのです」

ユリアネは黙り込み、俯いた。膝の上で両手を組み合わせていると、指に力が入って手の甲に爪を立ててしまう。

「パウラの話も、司祭さまの話も、どちらも嘘かもしれないじゃない――」

信じたくはなかった、知りたくもなかった、と心が悲鳴を上げていた。

「どうして今日まで黙っていたのかと、歯がゆくお思いでしょう」

パウラは苦い声で続ける。

「十年前、お母さまは、ユリアネさまにはこのことは教えないでほしい、人を憎むと心が歪むから、どうか知らぬまま生きてほしいとおっしゃったからです。だから、一生黙っているこころづもりでした。けれど、ユリアネさまに、司祭の話した偽りを信じてほしくないのです。お父さまとお母さまが、ユリアネさまを心から愛していたことを知らないままでいてほしくはなかった……」

「……でも……でも」

ユリアネは全身から力が抜けて行くのを感じていた。

「わたし、お父さまの顔を知らない。もう、お母さまの顔も思い出せないの。信じたくても、ふたりの顔もわからないわたしにはできないの……」

ユリアネは震える手で顔を覆った。

パウラが動く気配があった。彼女は部屋の隅の化粧箪笥を開け、抽斗《ひきだし》の奥底から、小さく平たい布包みを取り出した。中はさらに油紙の包みになっていた。彼女はそれをユリアネに差し出してくる。

「もっと早くお見せしていればよかった。そうしたら……」

ユリアネは震える両手を伸ばして、包みを受け取った。

油紙をゆっくりと開く。

てのひらほどのカンバスに、赤ん坊を抱いたひとりの女性が描かれていた。

女性と赤子の髪は白金色。その目はふた揃いの紫水晶。

その女《ひと》は、腕の中の赤子に向かって、愛おしそうに微笑みかけている。今のユリアネよりも少し年上だろうか。最後に会ったときよりは少し若い気がする。

「お母さま……」

ユリアネは、そっと母の姿に触れた。母に抱かれる自分の姿を指でなぞった。筆の跡は、どこか温もりを感じさせる。

この絵を描いた人物が、どれほどふたりを愛おしく思い、どんな気持ちでその姿を絵に写しとったのか、手に取るようにわかる気がした。

「……お父さま」

自分を囲う男の部屋で、この絵を見つけた母の心はどれほど乱れただろう。愛しい夫を殺され、どれだけ侯爵を憎んで苦しかったことだろう。辛かったことだろう。

「お母さまは……お母さまは、死ぬ前に、侯爵さまに求婚されていたのだって――」

パウラは痛ましそうに眼を閉じた。

「それも、司祭が話したのですか」

「そう。お母さまが告解したのですって……」

パウラは何も言わなかった。しかし、いつもは穏やかなその顔が強張り歪んだのを見て、ユリアネは彼女の怒りがはっきりとわかった。

けれど、もう、あの狡猾な司祭がどんな罪を犯していようが、どうでもよかった。

母は、侯爵の求婚から逃れたくて、でも逃げる術がなくて、死を選んだのだろうか。それほどに父のことを愛していたということなのだろうか。

「この絵は、お母さまがパウラに渡したのね」

「私はお預かりしただけです。お母さまが、ユリアネさまがお父さまの描いた絵を一枚も知らないのはあまりに不憫《ふびん》だから、いつか手渡すようにとおっしゃいましたので」

父が描き、侯爵が奪って五年間仕舞いこんでいたもの。母が取り戻し、パウラが十年もの間大切に保管していたもの。ゲルハルトをはじめ、侯爵家の人々の運命を狂わせたもの。

「わたしが持っていていいの……？」

その問いかけに、パウラは深く頷いた。

「私は、その絵は、ユリアネさまのものだと思います」

血塗られた絵だけれど、あまりに優しくて美しくて、懐かしい。

ユリアネは油紙と布でそのカンバスを包みなおすと、胸に抱きしめた。

その様子を目を細めて見つめながら、パウラが言った。

「ユリアネさま。ここを出て、修道院に行きましょう」

思わず顔を上げ、彼女の顔を見つめた。彼女は真剣なまなざしをしている。

「もう、私にはこれ以上、ユリアネさまが侯爵の慰みものにされているのを見過ごすことができません。もっと早くお話ししていればよかった。一年前のあのとき、無理やりにでもユリアネさまを屋敷から出しておくのだった。悔やまれてなりません……」

最後の呟きは、消え入るような声だった。

ユリアネとパウラは、次の安息日にミサに参加するふりをして教会で落ち合い、修道院へと逃げ延びることにした。

それまでにパウラは修道院へ急いで手紙を書き送り、馬車の手配をする。ユリアネは、ゲルハルトにも侍女たちにも気取られぬよう荷造りをしながら一週間を過ごすのだ。

パウラに見送られ、ユリアネは城に戻った。

一旦は自室に戻ったが、落ち着けず、侍女の目を盗んであの絵を手にふらりと部屋を出た。どういうわけかヴィヴィアナたち一行が城を後にしてから、ユリアネへの監視は緩んでいたのだ。

この目に映る、何もかもが色を違《たが》えて見えた。

城の廊下を歩けば、目の見えなかった母はここをどうやって歩いたのだろうと思いを馳せ、階段を降りれば、父もここを上り下りしたことがあるのかと考える。

どうして侯爵には、父の命を奪い、母を手に入れるなどという非道なことができたのだろう。

盗みの濡れ衣を着せられて、若くして殺された父の無念。

それを知りながら、夫の仇《かたき》の愛人という立場に陥れられた母。

ユリアネは、ふたりの苦しみを欠片も知ることなくぬくぬくと育ち、両親を死に追いやった男の息子の愛人になっていた。

ユリアネの本当の罪は、ゲルハルトの愛人になったことではない。

誰が知らなくても、ユリアネ自身がその罪深さを知っている。

真っ黒な冷たい闇が、波のようにユリアネの足元に迫り、だんだんとせり上がってきた。足を取られそうな恐怖に追われ、人気のない廊下を迷子のようにさまよう。

立ち止まったら、呑まれてしまう。自分の靴が石の床を踏み鳴らす音をどこか遠くに聞きながら、ユリアネは必死で逃げた。

そうして、ある部屋の前にたどり着いた。そこは、一年前にたった一度だけ足を踏み入れた、かつての母の部屋だった。

自分は逃げたのではなかった。この部屋を探していたのだ。

ここならば、会いたかった人に会える気がして。

おそるおそるドアノブに触れ、力を込める。開かないかもしれないと思ったが、扉は軋みながらゆっくりと開いてゆく。

部屋は、真昼だというのに暗かった。

家具には布が掛けられ、寝台の寝具や帳《とばり》は取り去られて骨組《ほねぐみ》を露わにしている。きちんと掃除されているのか、絨毯の上には塵ひとつない。

母が住んでいた気配は、ひっそりと消え去っていた。

部屋にそっと足を踏み入れた。大きな寝台の側を横切り、向かい側の掃き出し窓の扉に手をかける。

露台に出て、母が落ちたという場所にもう一度立ちたい。

父が沈んだという海を見なくてはならないのだ。そして――。

「開かない……」

把手は動かなかった。内鍵が潰されていた。

身体から力が抜けてゆく。ユリアネは、扉に縋るように床にしゃがみこんでしまった。

手にしていた絵が、膝を滑り落ち、絨毯の上で止まる。

もう、指の一本すら動かない。

父と母はこの城で絶望のうちに死んだというのに、ユリアネは一年も前からここにいたにもかかわらず、ふたりの最期のことを知らぬままだった。そればかりか、ふたりを死に追いやった男の息子の愛人になり、愚かにも、彼にひそかに恋をしていた。父を殺し、母を苦しめた男の息子に抱かれ、彼が気紛れに見せるささやかな優しさを嬉しいと思っていた。

両親に会いたかった。会って、ふたりに謝り、慰めたかった。

そして、夢に見たように手を繋いでほしかった。

この扉の向こうに行きたい。今のユリアネにとって、それ以外に望みはなかった。その望みがどんな行為を意味するかなんて、今のユリアネには大したことではない。

震える手を持ち上げてもう一度把手に触れるが、やはり扉が開くことはなかった。

ユリアネが嗚咽とともに肩を落としたとき、ひとつの足音が近づいてくるのが聞こえた。

ユリアネの背後で、その人物が半開きの扉をすり抜け、部屋に足を踏み入れた気配があった。

「……ここで、何をしているんだ」

ゲルハルトの声だった。

「教会で司祭と会ってきたのだろう。なぜ、部屋に来ないんだ」

ユリアネは彼の言葉をぼんやりと脳裏で反芻する。

(ああ、そんな約束をしたこともあった)

昨日のことなのに、まるで、歪んだ硝子窓の向こうの、手の届かない場所でのことのように思える。この城にやって来てからの一年間の出来事の全ても。

「扉が、開かないのです」

自分の声を、まるで他人の声のように聞いている。

「向こうに、お父さまとお母さまがいるのに……」

硝子の向こうをじっと見つめても、鈍い灰色の空が見えるばかり。

「おまえの父母は、死んだんだぞ」

彼の口調は、少し戸惑ったようなものだった。

ユリアネはぎこちなく首を巡らせ、扉の前に立つ彼の長身を眺めやる。

黒い髪が少し乱れて、ひとすじ額にかかっていた。まさか彼は、ユリアネを探していたとでもいうのだろうか。昨日の昼の他愛ない約束を覚えていたのだろうか。

胸にしみるほどの嬉しさと、それを凌ぐたまらない歯がゆさがあった。

ゲルハルトは、きっと、自分の父がしたことを知らないのだ。

「そう」

ユリアネは唇を歪めた。笑みを浮かべようとして、泣き顔になる。

「お父さまは、侯爵さまに殺されたの。お母様は、侯爵さまと結婚させられそうになって耐えられずに身を投げた。お父さまのところに行きたくて……」

歌うように言葉が口をついた。

ゲルハルトが驚愕したように大きく目を見張り、一歩足を踏み出した。

「何を言っている。おまえ、正気なのか。教会で何があった？」

彼は戸惑いに視線を揺らし、歩み寄ってくる。心配げな表情とともに大きな手が差し伸べられる。

「来ないで！」

悲鳴のようにユリアネは叫んだ。ゲルハルトが一瞬だけ、衝《つ》かれたように動きを止めた。

「司祭に何を言われた――？」

彼は一歩ずつ近づいてくる。手負いのけものを手懐けるような慎重な足取りだ。

「私の父がおまえの父を殺したとは、どういうことだ」

確かめるような口調で彼は問うた。

ユリアネは萎えた膝を叱咤して、掃き出し窓を背にのろのろと立ち上がる。可笑《おか》しくて目を眇《すが》めたのに、頬を温かいものが流れる。

「――何も、知らないくせに」

相手の無知が、これほど腹立たしく、羨ましく感じられるなんて。

きっと、一年前にユリアネを犯したときのゲルハルトも、こんな苛立ちを抱いていたのだろう。あまりに幼すぎて、信じがたい辛い真実をひとりでは受け止めきれなかったのだ。相手にも知らせたい。自分が苦しいぶん、相手を苦しめたい。傷ついたぶん、傷つけたい。その気持ちは憎しみと呼ばれるものなのかもしれない。でも、同じだけの激しさで想っていなければ、きっとその感情は生まれないはずだ。こんな風に彼に気持ちをぶつけたくなってしまうのは、彼のことが愛おしいからだった。

自分たちは、永遠に相容《い》れない立場の者同士だというのに。

「何も知らないくせに、お母さまを侮辱して、わたしを愛人にした。――どろぼうは侯爵さまのほう。お父さまから命を、お母さまから夫と娘を、わたしから家族を盗んだ。知りたければ、日記を探して読めばいいわ」

喉が塞がり、息ひとつ飲み込むだけでひどく痛んだ。

「日記――？」

短くゲルハルトが繰り返す。彼には心当たりがあるらしかった。

「侯爵さまがしたことがみんな書いてあるそうよ。でももう、そんなことどうでもいいの。

早く、この扉を開けさせて」

「馬鹿を言うな。おまえ、まさか死ぬつもりでいるんじゃないだろうな」

彼が大股で近づいてきたので、ユリアネは扉にぎゅっと背を押し付けた。肩を掴まれて真っ直ぐに顔を見下ろされる。ユリアネも顎を上げて彼の目を強く見据えた。

彼の目がふと足元に逸らされる。肩を押さえていた手を緩め、彼は腰を屈めてそれを拾い上げた。てのひらほどの小さな絵。父が描いた、母娘の肖像を。

「これは……」

ゲルハルトは、呻くような声を漏らした。

「返して！」

ユリアネはその手に飛びついて絵を取り戻そうとした。しかし、彼の硬い腕はびくともしない。

「お父さまの絵よ。触らないで！」

どこからこんな怒りが湧いてくるのか自分でもわからないほど、ユリアネは激情に飲み込まれていた。冷静な判断などつかず、ただひたすらこれまでの鬱屈を晴らすようにゲルハルトに噛みつくことしかできなかった。

「返して。もうそれだけなの。お父さまの絵。お母さまの――」

ユリアネが叫ぶように言い放ったとき、騒ぎを聞きつけた使用人が何人か部屋に入って来た。

ゲルハルトは彼らの目からユリアネを隠すように抱き留め、後からミューエがやってくると、何事か言いつけた。

疲れ切ってぐったりとしたころ、ユリアネは彼に抱きかかえられてその部屋をあとにした。


その日の晩、燭台にあかあかと照らされた執務室で、ゲルハルトは一枚の絵と日記を手にしていた。机の前にはミューエが立っている。

ユリアネは城の隅の小部屋から広い客室に移した。見張らせていなければ安心できない状態だったからだ。

ミューエは、昼過ぎから今までユリアネに付き添っていた。

「あれは、落ち着いたか」

「はい。興奮がおさまらないようでしたので、お医者様に薬をいただき、眠らせました」

「この絵のことは、何か言っていたか」

ゲルハルトは肖像画をミューエに向ける。彼女はゲルハルトの手元に視線を移した。

「いえ。わたくしには、何も――」

「これだ」

訝しげに眼を上げたミューエに、ゲルハルトは苦笑した。

「十年前、父が盗まれたと言っていた絵だ」

彼女がぴくりと片眉を上げた。

「アングラー男爵の描いたものということだ。残っているのは一枚きり。あとは、父が燃やしたそうだ」

「何ですって――？」

ゲルハルトは日記を机の上に放った。昼から城中を探させ、夜になってようやく地下書庫から見つかったものだ。数冊にわたって、触れるのも厭わしく、字面を追うだけで胸が悪くなるような事実が淡々と書き記されていた。

ゲルハルトは奥歯を噛みしめる。

ユリアネがあの部屋で泣き叫ぶように伝えてきた言葉は、父の日記とほぼ一致していた。ゲルハルトはそれを淡々とミューエに語った。

十六年前、ゲルハルトが四つの冬に、侯爵夫人である母が、当時新進気鋭の画家だったアングラー男爵を城に招いた。都のとある貴婦人が主催するサロンで知り合い、息子とともに肖像画を描いてもらう約束を交わしていたからだ。男爵には異国生まれの妻と生まれたばかりの娘がいたが、家族は都の邸宅に残されていた。

侯爵である父の方は、妻が招いた客人に当初はほとんど関心を示さなかったようだ。

それというのも、父は、家族にも、施政にも、領民にも、僅かも心を傾けない男だったのだ。

　ゲルハルトの記憶にある限り、父はおおらかで公明正大、遊び心があって気前がよく、真面目で領民のことを第一に考え、母に誠実だった。しかし、それは、生まれながらに侯爵家を継ぐべく教育され、情熱や愛を傾けるものを見つけられず、虚しく生きてきた父の、仮面であり演技でしかなかった。日記には、人の生き死にも、施政の記録も、ゲルハルトにとっては懐かしい父との思い出も、淡々とした文面で記録されているのみだった。

　そんな父が、心を奪われたものがあった。

　あるとき母が、男爵に肖像画を描いてもらっている現場に父を招いた。父はそこで、男爵が描いたという一枚の小さな絵を目にした。

　父はそこに描かれていた女にひとめで恋をした。白金色の輝く髪、菫色の濡れたような瞳、薔薇色の頬に浮かんだ優しげで神秘的な微笑みに魅せられた。彼女に愛されているかのような、そんな錯覚が心に芽生えた。

　その女を娶《めと》り、子を産ませた男爵に激しく嫉妬した。男爵は下級貴族ゆえ、地位のしがらみも薄く、大陸中を放浪した末、身分違いの美しい妻と娘を得ていた。その自由で思い切った生きざまが、父には心底羨ましく恨めしく思われた。

　かたや父は、侯爵家の当主で、その血のために愛せぬ妻と結婚し、日々虚飾にまみれた社交と終わることのない領地経営に明け暮れていた。地位と領地を次代につなぐ歯車として、これから先も、情熱も生きがいもないまま生きていくしかないと考えていた。

父は女のことを思うと何も手につかず、寝台に入っても眠ることができなかった。彼女を手に入れたいという欲望は日々募り、抑えが利かなかった。

肖像画の制作がほとんど終わりかけた冬の半ば、父は狂気に身を任せた。

巧妙に男爵を陥れるための策を練り、実行に移した。母が男爵を庇ったことなどものともしなかった。幼い息子もその策略の一端を担う歯車に過ぎなかった。

そして、自殺に見せかけて男爵を海に投げ込んだ。遺体が探せないよう、新月の晩を選んだ。同時に、都の男爵邸に使者を送り、その妻を呼び寄せた。

初めて見る女は、絵画の何倍も美しかった。夫の死を知らされてもなお気丈に振る舞う様子には哀れを覚えた。夫に着せた盗みの罪を打ち明けたとき、彼女は夫が宝石を盗むなど信じられないと強く反論したが、次第に戸惑い苦悩を深めていったようだった。その様子にはひどく嗜虐心を満たされた。

父は女に吹き込んだ。夫を告発してもよいのだと。しかし、彼女が側にいて、代わりに身をもって償うと言うのなら思いとどまると。

彼女は最後まで夫の罪を信じなかった。

しかし父は、異国で幼い娘を抱えながら夫の死に直面し、身の振り方に困り果てている彼女の心の隙に言葉巧みに付け込んだ。親切にすることで自分を信じさせた。

後継ぎがいない男爵家は断絶することとなり、父はその処分を一切合財《いっさいがっさい》引き受けた。男爵の描いた絵はひそかに全て焼き捨てた。

彼女の邪魔な娘を領内の屋敷に住ませて引き離すことにも成功した。最後まで彼女は抵抗したが、夫を告発するという切り札でねじ伏せた。

そして、男爵の喪が明けて間もなく、抜け殻のようになった彼女を手籠めにした。

父は、領主として果たすべき義務を過不足なく果たしながら、それ以外のほとんどの時間を彼女に注いだ。誇りを傷つけられ悲しむ妻も、父母の不仲に心を痛める息子も、さりげなく諫める忠臣たちも目に入らず、その声も聞こえなかった。愛人になった女が、日に日にふさぎ込んでいき、娘に会わせてほしいと懇願してくることすら、意に介さなかった。

だが、父の蜜月は、ゲルハルトが八つの春に瓦解《がかい》する。父が隠し持っていた、女の肖像画が何者かに盗まれたのだ。父は死に物狂いで絵を探させ、疑心暗鬼に陥ったあげくに母の侍女に嫌疑をかけ、城から追い出した。

父はおそらく、女が絵を取り返したのだということに薄々勘付いていたのだ。しかし、どうしてもそう思いたくはなかったのだろう。それはすなわち、自分の非道な行いが愛人に知れたということになるからだ。だから、心当たりから目を背けながら、必死で犯人捜しをしたのだ。

ゲルハルトの手元にある日記は、その年の夏に母が別荘に移り住んだあたりで終わっていた。

日記の最後の頁を繰った手で、ゲルハルトはおのれの目を覆った。

これまで自分が信じてきたことが、拠《よ》り所にしてきたものが音を立てて崩れ落ちていった。両目の光を失うような絶望的な感覚があった。

城で自殺した迷惑な男は、本当は、父に無実の罪を着せられ、殺されていた。

母を追い出し、父をたぶらかし続けて死に誘ったと思われていた女は、その実、父の罠に陥れられて無理やりに愛人にされていた。

ふたりの間に生まれた娘は、家族を奪われ、寂しく育った。おまけに、ゲルハルトは逆恨みを募らせて、まだ誓願式も済ませていない彼女の純潔を散らしたばかりか、愛人に貶《おとし》めて囲い続けたのだ。

父の所業をかけらほども疑わず、自らの目で確かめることもなく。

「何てこと……」

ミューエが茫然と呟き、身を支えるように机に手を突いた。

ゲルハルトは、主のいなくなった部屋の片隅でうずくまっていたユリアネを思い出す。

彼女の後ろ姿はうちしおれた花のように頼りなく、その顔は蝋のように白かった。なのに、ゲルハルトの姿を認めた瞬間、あの菫色の瞳に静かな炎が灯ったのだ。そして、悲痛な声で、ゲルハルトの無知と父の非道を糾弾した。感情をほとばしらせた姿まで、彼女は美しかった。

「おまえには、要らぬ苦労と心痛を味わわせた」

そう声をかけると、ミューエは目線を足元に落とし、力なく首を振った。

「わたくしの身に起こったことなど……」

「今、ゴルドーに、城下に居るあれの侍女を迎えに行かせている。そのあとで――」

言いかけたとき、外から扉が叩かれた。返事を待って入室してきたのは、ゴルドーと、ユリアネの育ての親である老婆だった。

パウラというその女は、現れた瞬間から、射貫くような鋭い目で不躾《ぶしつけ》にゲルハルトを見つめていた。ぎゅっと唇を噛みしめ、怒りをこらえたような表情をしている。

「呼び立てて、すまない」

女は視線をゲルハルトに据えたまま、返事もしなかった。

「聞きたいことがある。今日、あれが、母親が死んだ場所で身投げをはかろうとし、私の父がしたことについて打ち明けてきた。あれが話していたのは、おまえが教えたことなのか」

「身投げ……？」

「ああ」

パウラは目を大きく見開き、天を仰いだ。

「ユリアネさまに会わせてください。今すぐ」

「後で会わせる。おまえにはあれの身の回りの世話を頼みたい」

「そんなこと、いまさら頼まれるまでもございません。元はと言えば、ユリアネさまとわたくしを引き離したのはあなたがたではありませんか」

「何と無礼な物言いを――」

背後のゴルドーがパウラの慇懃な口調を咎めかけたが、ゲルハルトは手で制した。

「教えてほしい。なぜ、このことを今日まで黙っていた。一年前、あれの母親が死んだあと、どこへ行こうとしていた？」

パウラは真っ直ぐ見下ろしてくる。

「教えずにおりましたのは、タマラさま――、ユリアネさまのお母さまが、ユリアネさまには決して教えないでほしい、たとえ親の仇であっても、憎み続けて生きてほしくはないと、そう願われていたからです。ですから生涯わたくしの胸にとどめておくつもりでした。あの下種《げす》な司祭がユリアネさまに嘘を教えさえしなければ」

そうか、とゲルハルトは深く頷いた。ふと目を逸らし、卓上の絵を見つめる。

愛人への憎悪を息子に吹き込み続けたゲルハルトの母とは何という違いだろう。母の愛情を疑うわけではなく、優劣をつけるつもりもないが、ユリアネの母の娘への強い想いに胸を衝《つ》かれた。

「一年前に向かおうとしていたのは、とある修道院です。ユリアネさまはタマラさまの人質も同然でしたから、万が一にでも侯爵の手にかかることがないようにと、もしも自分の身に何かあれば修道院に身を寄せるようお命じになっていたのです」

そうまでして守ろうとしていた娘を、ゲルハルトは傷つけ、辱め、目の前で母親を侮辱したのだ。ユリアネにかけた言葉のひとつひとつが思い出される。

「わたくしからもよろしいですか」

硬い声音でパウラが言った。

「かまわない」

ゲルハルトは目を上げる。パウラが卓上の絵に手を伸ばし、まなじりを吊り上げた。

「この絵を返していただけますか。わたくしが乳を与えた方が、ご家族に残した最後の一枚なのです。あなたなどの手元にあってよいものではありません」

ゲルハルトは驚愕に目を見開いた。

「おまえは……」

この女は、ユリアネの父の乳母なのだ。息子も同然の男を理不尽に殺され、その妻を囚われ、ふたりの忘れ形見である娘までも愛人にされた。やる方ない憎悪と憤怒をようよう押さえつけているのだろう。

ゲルハルトは絵をパウラに向けて差し出した。

パウラは奪うようにそれを取り上げ、大切そうに胸に抱く。そして、きっと目を鋭くすると、右腕を大きく振り上げた。

ゴルドーとミューエが気づいて止めようとしたが、間に合わない。

ぱん、と頰を打たれ、熱い痛みが生まれた。

「何ということを！」

ミューエが叫ぶ。パウラは大きく肩を上下させながら訴えた。

「あなたがユリアネさまにしたことへの報いです。一度だけではとても足りない」

ゴルドーが背後からパウラを羽交い絞めにする。

「ユリアネさまはあなたの父のしたことであなたを責めなかったのではないですか？　なぜだかわたくしにはわかります。そうすればあなたと同じところに堕ちるからです。だからわたくしもあなたを責めたりはしない。でも、何の罪もないユリアネさまを辱め続けたことは許さない」

悲痛な叫びに、ゲルハルトの胸が締め付けられた。

自分は八つ当たりでユリアネを犯し、囲い込んだ。言い訳などできるはずがなかった。

ゲルハルトは頬を押さえもせずに立ち上がり、ゴルドーに声をかけた。

「放してやれ。──部屋へ連れて行ってやるように」

ゴルドーが力なくうなだれたパウラの拘束を解き、部屋から連れ出した。

部屋にはゲルハルトとミューエとが残される。

ゲルハルトは、机の上に目を落とす。さっきまで絵が置かれていた場所だ。

一度目にすれば忘れられない、美しい絵だった。

初めは、ユリアネが描かれているのかと思った。それほどまでに、彼女は若い時分の母と似ていたのだ。赤子を抱いていなければ見間違えたままだっただろう。

絵姿の中の女は、愛する者だけに向ける優しい笑みを浮かべていた。白い手で愛おしげに無垢な赤子を抱いていた。

失われた幸福がそこにあった。

父が焦がれ続け、死んでも手に入れられなかったもの。

ゲルハルトも、一生得ることはできないもの。

そして、ユリアネからその未来を取り上げたのは、他ならぬゲルハルト自身だった。

昨日、ユリアネが司祭と話した後に会うことを約束したのは、どうにかして力になるつもりだったからだ。ゲルハルトのせいで受けられなかった誓願式をどうしても受けさせてやりたかったからだ。

ゲルハルトのシャツを目の前で繕っていたときの恥じらった様子、伏せた睫毛の長さ、陶器の細工のような白い耳、細い指の器用な動き。一瞬も目が離せなかった。

十年前に会ったきりの子どもは、ひょっとするとこんな風に育っているのではないかとまで思った。しかし、髪の色が違う、と空想を打ち消した。

あのときゲルハルトは間違いなく幸せだった。

彼女を自分の側から離したくなかった。父母の確執《かくしつ》をすべて忘れて、過去を埋め合わせたいと思った。

けれど、絶対に埋められない裂け目が、償いようのない罪が、ふたりの足元に横たわっていた。

ようやく気づいた。

でも、気づく前に失っていた。

ゲルハルトは、ユリアネに恋をしていたのだ。

ユリアネに与えられたのは、城の二階にある日当たりのよい南向きの部屋だった。

暖かい陽が窓から差し込んでいた。

ユリアネは、まる二日寝付いた。目を覚ますとパウラが側にいて、枕元には母の肖像画が置かれていた。パウラはゲルハルトに許されて、ユリアネの身の回りの世話をすることになったのだと言った。

数日後、ゲルハルトが部屋を訪れた。

突然の来訪に驚くパウラを後目に、彼は寝台の上で身を起こすユリアネに近づいてきた。

「もう、落ち着いたか」

そう声をかけられ、ユリアネは俯いた。彼と視線を合わせられなかった。それは、未だに信じられない父母たちの身に起きた出来事、言葉にしがたい彼の父親への怒りと恨みのせいでもあったし、自分が彼に向かって感情を昂ぶらせて放った言葉、取り乱した態度への後悔のせいでもあった。

「話したいことがあるのだが、いいか。……おまえも立ち会ってほしい」

と、彼は席を外そうとしていたパウラに振り向きざま言った。

ユリアネはおそるおそる首を動かし、寝台の側に立つゲルハルトを見上げた。ユリアネの目には、彼が少しやつれたように映る。いつも強い光を宿す目に力はなく、ただ、痛ましいほどの翳りが宿っていた。

パウラが椅子を動かしてきて、ゲルハルトの背後に据える。彼はゆっくりとそこに腰かけ、寝台の中のユリアネを見つめた。

「すまなかった」

はっきりと、一言だけ彼は口にした。

「父のしたことは、おまえとそこの侍女が言った通りだった。父の所業も、私がおまえにしたことも、取り返しがつかないし、詫びて許されることでもないと思っている」

彼はゆっくりと噛みしめるように告げ、目を伏せる。

「できる限りの償いをしたい。父のしたことを公にし、代わりに私が謝罪する。私はそのあと、都での役職を辞して、爵位を遠縁の者に譲ろうと思う」

ユリアネは目を瞬かせた。パウラが部屋の隅で小さく息を呑んだのがわかる。

ゲルハルトは、爵位を継ぐ以前から、幼い王太子の守役をおおせつかっており、王族に最も近しい貴族のうちのひとりだ。数え切れないほどのお役目を担っているというのに。

「おまえには、おまえのことや、父母の噂が届かぬ土地に住む場所を用意する。不自由せずに暮らしてゆけるようにするから、そこの侍女とともに行くといい」

淡々と彼は続けた。

「いつか、おまえがそうしたいと思ったときに、誰かと結婚することもできるだろう」

その言葉にユリアネは目を見開いた。

彼の心遣いが嬉しく、同時に虚しく切なかった。

この数日、ユリアネは寝床の中で赤子のように身体を丸め、食事もとらず、深く深く思索に耽った。一枚の小さな肖像画に、母の微笑みと父の筆跡をなぞった。幼いころの記憶をかき集め、この一年の間に自分の身に起こったことを反芻した。

「……パウラ」

ユリアネは、彼の肩越しにパウラを見つめた。

「どうすればいいと思う……？　お父さまとお母さまは、何を望んでいると思う？」

陥れられ、屈辱の内に命を奪われた父。愛人として尊厳を汚され続け、最後には絶望して身投げした母。あまりに短く悲しい、ふたりの命。

ユリアネの問いかけに、パウラは少し思案し、穏やかに微笑んだ。

「おふたりは、ユリアネさまのお幸せを願っていると思います。ですからユリアネさまは、気兼ねなく、望むままにしていいんですよ」

ユリアネはその優しい言葉に深く頷いた。

父の描いた絵はあんなにも美しかった。だからユリアネは、ふたりが自分を愛してくれていたことを、もう疑うまいと決めたのだ。

上掛けを握りしめ、真っ直ぐにゲルハルトと向かい合う。

ゲルハルトがどんな形で父親の罪を贖《あがな》おうとしても、ユリアネの父母は戻っては来ない。

恨みごとを言いたくても、侯爵は亡くなって、骸すら見つかっていない。残されたユリアネが、何も知らなかったゲルハルトを憎んでも意味がないし、何も生まれない。もう、彼が自分にしたように痛みを与えたいとも思わない。

幾度おのれの胸の底を浚《さら》っても、ゲルハルトへの憎しみは見つからなかった。

ただ彼が、直に会いに来て、償いたいと言ってくれるだけで十分だった。

彼は輝かしい前途のある人で、都や侯爵領のたくさんの人々に必要とされており、期待に応えるための努力を惜しまない。これから結婚し、子どもに恵まれ、侯爵家を次代につないでいくはずだ。日の当たる場所で生きてゆく人だ。

ユリアネは、ゲルハルトに何も手放してほしくはなかった。

「爵位を譲ったりしないでください。住む場所も、暮らしの世話もいりません。それにわたしは、一生、誰と結婚することもないでしょう」

ユリアネは確かな声で告げる。ゲルハルトが顔を強張らせた。

たとえ豪華な居所を用意してもらい、パウラとともに何不自由ない生活を送ったとして、それは十五までのふたりきりの寂しい生活と何の違いがあるのだろう。

それに、かつて貴族の愛人だった自分などを、一体誰が妻に望んでくれるだろう。ゲルハルトの口添えがあったとしても、誰が相手であっても、決して幸せな結婚はできまい。

なぜならば、ユリアネは今だって、ゲルハルトのことを想っているからだ。

母が、娘が修道院にはいり、心穏やかな日々を過ごすことを望んでくれていたというのだから、叶う限りその思いに添いたかった。ユリアネ自身も、神に一生を捧げて、父母の安らかな眠りを願って過ごしたいと思うのだ。

「ただ、父と母を誤解して憎んでいる人や、嫌っている人がいることは悲しい。ふたりの名誉を回復していただけるなら、他には何もいりません」

「約束する。──おまえは、どうするつもりだ」

恐れるような静かな口調で、彼は問いかけてくる。

ユリアネは微笑を浮かべて答えた。

「身の振り方は、パウラと相談して何とかします。それまで、このお城にいさせていただくことはできますか？」

ユリアネは、一年前に行くはずだった、都のはずれの修道院へ身を寄せたいと思っていた。誓願式はまだ受けられてはいないけれど、あの教会であの司祭の前で儀式を受けることだけは絶対にしたくなかった。

本来ならば誓願を済ませた者でなければ修道院には入ることはできないが、見習いでも、下働きでもいいから置いてほしいと、手紙で何とか頼み込むつもりだ。

彼はもの言いたげだったが、ユリアネの決心が変わらないことを悟ったのか、もうそれ以上何も言わなかった。

「わかった。それまで、欲しいものや、雑用があるなら、ミューエに何なりと言いつけるといい」

「……ありがとうございます」

そのやり取りで、場の空気がほどけた気がした。

少しの間のあと、ゲルハルトが椅子から立ち上がる。

「もう、姿を見せないから、心穏やかに暮らせ」

早口で、ぶっきらぼうに言う。それは、初めて会ったときの幼い彼を思わせる口調だった。彼はユリアネが呼び止める間もなく、部屋を出て行ってしまった。

パウラがゆっくりと近づいてくる。

心配げに顔を覗き込まれ、ユリアネは力なく笑った。

「……これで、よかった？」

「ユリアネさまこそ。本当によろしいのですか」

その少し含みのある問いかけに、ユリアネは、彼女が薄々、自分の想いを察していたのではないかと思う。でも、決して言葉にはできない。

「うん。これでいい」

パウラが、ふくよかな手で髪を撫でてくれる。肩を抱かれ、彼女の胸に頭を預けた。

「ユリアネさまがそうなさりたいのに、悪いことなどあるものですか。どこに行くにも、パウラが一緒ですよ」

彼女の胸の鼓動を聞きながら、ユリアネはそっと目を閉じた。

ユリアネは都のはずれの修道院に手紙を書いた。

半月後、修道院からの返事が届いた。院長は、誓願式を受けていないユリアネの身柄を引き受けてくれるばかりか、都の大聖堂の司教に事情を話し、ひそかに誓願式を執《と》り行ってくれるとまで記していた。

パウラはそれを聞き、涙ぐむほど喜んでくれた。ユリアネにとっても、この上なく嬉しい、信じられないほど有難い知らせだった。

ユリアネとパウラは、出立の日を冬の初めと決めた。ミューエが都までの馬車を手配してくれることとなり、ふたりは少ない荷物をさらに整理し始めた。

その間に、ゲルハルトが婚約を発表するはずだった彼の誕生日も過ぎた。彼は約束したとおり、あの日を境に決してユリアネの前に現れなかった。

旅立ちを明日に控えた晩のこと。

ユリアネは隣室で眠るパウラを置いて、そっと部屋を抜け出した。

その夜は満月だった。

月明かりのもと、ユリアネは通い慣れた廊下を駆けるように進む。毛織のガウンを羽織ってもなお底冷えのする寒さだった。

辿りついたのは、ゲルハルトの寝室だった。呼ばれていやいや訪れるばかりだった場所だ。自らやって来たのは初めてだった。

　姿を現したユリアネを見て、前室に控える侍女と侍従はぎょっとした。

「ゲルハルトさまに取り次いでいただけませんか」

　ユリアネがそうお願いすると、侍従は侍女と顔を見合わせ、戸惑った様子で奥に入っていった。戻ってきたのは侍従ではなかった。

　シャツにジレ、トラウザーズという昼間のままの格好をした、ゲルハルトその人だった。

　彼はひどく驚いた様子で、扉の前に立ちつくしていた。

「夜分遅くに申し訳ありません。あの、……最後に、お話をしたくて」

　そう言うと、彼は小さくため息をつき、中に入れと顎をしゃくった。

　ユリアネはおずおずと彼の前を横切って寝室に入る。ゲルハルトが背後で扉を閉める気配があった。

　ふたりは扉の前で向かい合う。

「何だ。話とは」

　少し苛立ったような、硬い声音で彼は問う。ユリアネは頭ひとつ半ぶん背の高い彼を見上げた。

「はい。明日、このお城を発つことにしました」

「――知っている」

　その呟きにユリアネは小さく頷く。

「都にある修道院に入ります」

「知っている」

低い小声で、彼は答えた。ユリアネはさらに続けた。

「特別に、司教さまが誓願式を行ってくださることになりました」

ゲルハルトは声を発さず、頷くこともしなかった。

だから、ユリアネは自分の推測が正しかったことを確信した。

「司教さまと修道院に、わたしが誓願式を受けられるよう、口添えしてくださったのですね」

彼はぷいと顔を背けた。

それは肯定の返事にほかならなかったので、ユリアネは深く頭を下げた。

「ありがとうございました。本当に……」

ゲルハルトは床に視線を定めたまま、沈黙を守っていた。

彼はユリアネの父母について、まず城の使用人たちの誤解を解くことから始めてくれていた。ゴルドーとミューエは、ふたりが責任をもって必ず城下に住む人々にもユリアネの父母のことを伝えると約束してくれてもいた。

それだけでなく、ゲルハルトはユリアネの行く末を気にかけ、長年の懸念だった誓願式を受けられるよう手筈《てはず》を整えてくれた。ユリアネが尋ねなければ、彼は決してそのことを誰にも明かすつもりはなかったのだろう。

「向こうで、お幸せをお祈りしています。ずっと」

それだけを伝えて、部屋を去るつもりだった。ユリアネはもう一度深々と頭を垂れ、彼に背を向けようとした。

そのとき、彼がぽつりと呟いた。

「――あんなことは、埋め合わせにならない」

押し殺した声で彼は続けた。

「こんなにもおのれの無力を思い知らされたことはない。私にはおまえのためにできることはないのか？　私の償いには、何の意味もないか？」

ユリアネはびっくりして、扉を背にゲルハルトの顔をまじまじと見上げた。

真っ赤に充血した彼の目が強く見下ろしてくる。

泣いているのかと思い、ユリアネは思わず手を伸ばした。少しこけた彼の頬に触れそうになったとき、その手を強く摑み取られ、びくりと肩を揺らす。

彼が反対の手を扉に突いた。ユリアネはその厚い胸の下に閉じ込められてしまう。

「……何の意味もないなんて……」

慰めに口にした言葉は、途切れた。

事実、ユリアネは彼に償いなど求めていなかった。ただ、ユリアネのことはきれいに忘れて、幸せになってほしいと思っている。

摑まれた手首を扉に押し付けられた。

彼は身を屈め、俯き加減にユリアネの顔を覗き込んでくる。額が触れ合うほどの距離だ。黒曜石《こくようせき》のような瞳が、燭台の明かりでゆらめいて見える。ユリアネはその目に見とれた。あの日に帰れたら、とユリアネは思う。もしもあの日に時を戻せたら、彼ともっと違う関係を築けていたのかもしれない。あるいは、一生再会することはなく、ユリアネは父母の死の真相を知らされることなどなく、彼が罪の意識に苛まれ続けることもなかったかもしれない。

彼が侯爵の息子でなければよかった。ユリアネが男爵の娘でなければよかった。でも、そうでなければ出会っていなかった。そして現実には、父母たちの確執は間違いなくふたりの肩にのしかかっていた。

ユリアネとゲルハルトの間には、懐かしむ過去も、胸をふくらます未来もない。ユリアネの想いは一方的で、報われることはない。今日のこのときを最後に、彼には一生会えなくなってしまう。

「じゃあ……、最後に、ひとつ、お願いがあります」

ユリアネは囁くような声で言った。

彼が目を上げ、ユリアネを窺う。

「今夜だけ、嘘でいいから――、恋人のように抱いてください」

ゲルハルトが小さく息を呑んだ。

「何を、ばかな――」

ユリアネの手を掴んでいた指が緩み、彼の身体が離れる。背を向けようとした彼の腕に縋って、ユリアネは訴えた。

「ふしだらな女だと嗤ってもいいです。でも、一度だけ……」

愛される夢を見てみたかった。

この身をがんじがらめにするしがらみも、恨みも恐れも今だけは忘れて、ただ温もりが欲しかった。

彼のシャツの袖を掴んでいた手から、次第に力が抜けてゆく。

沈黙が流れるとともに頬の火照りが治まり、自分がどれだけ恥ずかしい、身の程知らずなことを言ったのかということに気づいて、ユリアネは顔を覆った。

ゲルハルトが小さな溜息をついた。

呆れられた、と思った。救いようのない愚か者だと侮蔑《ぶべつ》されたと。

なのに、降ってきた言葉は、ひどく優しいものだった。

「わかった」

大きな手に髪を撫でられ、ユリアネは目を上げた。

黒い真っ直ぐな瞳に見下ろされていた。ユリアネを哀れむような、あるいは彼自身が辛そうな、どちらともとれるような光を浮かべていた。

彼は少し腰を屈め、ユリアネの背中と膝の裏に逞しい腕を回した。そのまま横抱きに身体を掬い上げられ、驚いて彼の首に縋る。

彼は、軽々とユリアネを抱きかかえたまま寝台に向かった。

壊れものを扱うようにそっと、ユリアネの身体を寝台の上へと下ろす。

帳がゆっくりと下げられ、視界が闇に覆われた。衣擦れとスプリングが軋む音が聞こえ、彼がジレを脱ぎ落として寝台に上がったことがわかった。

ユリアネは暗闇の中に手を伸ばす。

「どこ……？」

不安になって、そう呼びかける。指先が彼の身体に触れた。

その手が握りしめられ、何か温かい、柔らかいものを押し付けられる。彼の唇が触れたのだとわかり、ユリアネはびっくりして腕を引こうとした。しかし、逆に引き寄せられ、彼の胸の中に倒れ込むように身を任せてしまうことになった。

ゲルハルトはユリアネの背に腕を回し、そっと抱きしめる。

ユリアネは彼の肩口に頬を預け、瞳を閉じた。目を開けていても、瞼を閉じていても、映るのは温かい暗闇だけだ。彼の肩にあてたほうの耳に、早鐘のような確かな鼓動が伝わってくる。

逆の耳に彼が触れてきた。輪郭を指先でなぞり、耳朶のかたちを確かめるように指で挟まれる。くすぐったさにユリアネが首を竦めれば、追いかけるように彼の唇が耳元に寄せられた。

その唇がこめかみを辿り、額に落とされる。鼻梁、両頬、顎の先に次々と羽根のように軽い接吻《せっぷん》を与えられた。

大きな両手がユリアネの首に触れ、頬を包む。顔を持ち上げられる。

「……いやか？」

彼が掠れた声で尋ねた。何をするつもりなのかわからないけれど、彼がしてくれることで、嫌なことなどあるはずがないのに。

「いいえ――、いやではありません」

目を閉じたまま、ユリアネは答えた。

唇にゆっくりと、乾いて温かい、柔らかいものが押し付けられる。心地よい感触は、しかし、一瞬ののちに離れていった。

何をされたのか気づいて、ユリアネは彼の腕の中で小さく震えた。

ゲルハルトが、初めてくちづけてくれた。これまでユリアネには夢見ることも許されなかったふれあいだった。本当の恋人のように触れてもらえる喜びが、切なく胸を締め付ける。

「もう一度、いいか」

恐れるような問いかけに、ユリアネは無言で頷く。

今度は顎に手を添えられ、深くくちづけあう。唇の内側が触れ合い、その初めての濡れた感触におののきながら、全てを彼に任せた。

彼の手がユリアネの肩からガウンを落とす。

ユリアネは両手をゲルハルトの胸元に添え、シャツを握りしめる。

「ん……」

角度を変えて何度も唇を重ねる。やがて、熱い舌が歯列を割って入り込んできて、ユリアネのそれをとらえた。舌を絡め合ううちに彼の手がユリアネの頭を抱き込んだので、より深く密着することになった。

「……ふ……ぁ……」

ユリアネは甘やかな陶酔《とうすい》の中にいた。うなじのあたりがぼうっと熱くなり、しびれるような甘い熱が全身に広がってゆく。媚薬を使われたときよりも何倍も深い多幸感があった。

背を宥めるように上下していた彼の手が、ユリアネの身を寝台の上に横たえる。その間も優しいくちづけは途切れることなく続いていた。

(何て、幸せなんだろう)

ずっと恋焦がれていた人が、ユリアネのことを宝物のように大切にしてくれる。惜しみないくちづけを与えて、愛おしんでくれる。

ゲルハルトの妻になり、彼にこんな風に愛される人が、ユリアネは羨ましくてならなかった。同時に、これまで彼とともに過ごした夜のむなしさを思い知らされ、悲しくなる。

彼と出会ったことも、抱かれたことも、すべてが間違いだったことをひとつひとつ確認していくようだ。

(こんなことは、この一晩だけ。この寝台のなかでだけ)

　ユリアネは両腕を持ち上げて、彼の広い肩に回した。しなやかで鍛え抜かれた身体だった。


(ゲルハルトさまの罪悪感につけこんだ、いやらしい我儘)

　でも、嘘でもよかった。

　今、この夜の帳の中でふたりきり。

　ユリアネの腕の中には彼だけ。彼の腕の中にはユリアネだけだ。

　ゲルハルトの唇が僅かに逸れて、頬から耳の下に下りてゆく。うなじに硬い鼻先をこすり付けられて、ユリアネはくすぐったさに身を捩る。

　背中を抱きこんできた彼が、寝巻の上からユリアネの胸元に顔を埋めた。前髪が肌にかかって、そのさらさらとした感触になぜだか身体が芯から震えた。

　寝巻の胸元の紐がしゅるしゅると解かれた。改めて考えると、こうして順序立てて衣服を脱がされることなどほとんどなかったように思う。

　ゲルハルトは、気恥ずかしさに身を硬くするユリアネを宥めながら、ゆっくりと一糸まとわぬ姿にしていった。

　彼が一旦身を起こし、シャツの襟元をくつろげて袖を捲る気配があった。

　だんだんと目が暗闇に慣れて、ぼんやりと彼の姿をとらえることができた。

　逞しい身体が再びユリアネの上に覆い被さってくる。露わになった乳房を大きな手で包み込まれ、その片方の先端にくちづけられる。

「……あっ……」

口に含まれていない方の乳嘴は、指で挟まれ、すり合わすように刺激された。てのひらでふくらみの質量を確かめられるふわふわとした心地よさとともに、甘い疼きが生まれた。

「ん……」

濡れた唇が敏感な蕾を吸う。舌先に擽られた乳頭がたちまち硬く立ち上がってしまった。ユリアネは思わずゲルハルトの髪を摑んでしまう。

「ぁ、吸ったら……」

「悦《よ》くないか？」

顔を上げた彼に問われ、ユリアネは答えに困ってしまう。いいのだとも、やめてほしいとも言えずに、ユリアネは浅い呼吸を繰り返した。

「——……っ！」

答えを待たず、ゲルハルトは再び顔を伏せて愛撫を再開した。指が、先程までの柔らかくじれったい動きから、明らかに快楽を与える意図の力加減になる。舌がねっとりと紅色の頂に絡みつき、悪戯するように刺激した。

「あっ、あ……っ」

彼の大きな手で乳房を執拗に揉みしだかれ、形を変えられていると、全身が征服されすみずみまで満たされる感覚があった。けれど、胸に顔を寄せて乳を吸う彼が、ひどく可愛く、愛おしくも思えてくる。同時に湧き上がりせめぎあうその正反対の感情に、ユリアネは戸惑っていた。

両胸をそれぞれ唇と左の手指で責めながら、彼の右手がわき腹から腰のくびれ、太ももに下りてゆく。手が、もじもじとすり合わされたユリアネの膝に掛かり、ゆっくりと開こうとする。

いつものユリアネならば、詰《なじ》られることが怖くてされるがままに足を開くのだが、どうしてだか今日は恥じらいが勝ってしまい、できなかった。

彼が顔を上げ、子どもに言い聞かせるような口調で言った。

「力を抜け。気持ちよくするだけだから」

胸の奥に甘く響く、艶やかな声。

ユリアネが強張った身体を少しずつ緩めると、ゲルハルトが頬にご褒美のようなくちづけをくれた。同時に、熱い手が内ももに這わされ、奥に忍び込む。

「……っぁ……」

和毛をかき分けた指先が秘花に触れた瞬間、ユリアネはびくんと身体を揺らした。

彼の指が確かめるように花襞のあわいを滑る。

自分のそこが既に恥ずかしく濡れていることに気づいて、ユリアネはぎゅっと目をつぶった。

「ん、ぁ……」

指が豊かな蜜をそっと掬い上げ、その上の蕾に触れる。ぬるりとした感触に包まれ、優しく周囲を撫でられる。

「あぁ、だめ――」

指の腹で上下にゆっくりと擦りあげられるのが、ユリアネが一番弱い、感じてしまうやり方だった。そうされると、淫核はふくらみ、敏感な芯を露わにし、さらにいっそう快楽を深めてしまうからだ。

「だめ、そんな――、そんなにしたら……っ」

あまりに直截過ぎる快楽にユリアネの腰が引けてしまうのを、彼の手が強く引きとめる。

「逃げるな」

「……だって、もう……」

泣き縋るユリアネの耳元に、彼は蠱惑《こわく》的な声で囁く。

「こらえなくて、いい」

「っ……、あ――ッ」

彼は焦らすことなくユリアネの弱い場所を責め、たちまち絶頂に追い上げた。

ユリアネは、ゲルハルトの身体の下でびくびくと全身をのたうたせた。

逸楽の余韻がいつまでも冷めないばかりか、まだろくに触れられてもいない秘裂が物欲しげにひくつき、ぬるぬると涎を零しているのが自分でもわかってしまう。

ふと、覆い被さっていた彼が身を起こした。ユリアネの両膝の裏に手をかけ、その間に身体を割入らせて大きく足を開かせる。

「やっ――、あぁ、ぁ、……ぁっ」

羞恥に上げかけた声は、甘い悲鳴になった。なぜなら、屈みこんだゲルハルトが、ユリアネの秘所に唇をつけたからだ。

初めての甘い衝撃を受け止めきれず、ユリアネは大きく身を仰け反らせた。

巧みな唇がしこった肉の粒に吸い付き、挟み込んでは舌先で尖端をぬるぬるとなめしゃぶる。逃れようのない、おそろしいほどの悦楽だった。

「ぃや、やめ――、――めて、ダメ……っ」

先程達したばかりなのに、またユリアネは小さく絶頂に押し上げられる。

「だめ、……めて、もう、おかしく……」

ユリアネは力の入らない手でゲルハルトの髪を掻きむしり、制止の声を上げ続ける。自分でももう、やめて欲しいのか、もっと続けてほしいのかわからない。

そんな弱弱しい抵抗をものともせず、彼は唇と舌で真珠のような尖りを熱心にねぶりながら、柔襞の間に指を差し込んできた。

「やぁっ」

ユリアネの心を裏切って、花弁は待ちわびていたものを悦んで受け入れた。彼の長く硬い指を誘い込むようにうねり、しゃぶりつくすのだ。

「ん、ん……、ふ、ぁ……」

指が少しずつ押し込まれ、ゆっくりと引き抜かれる。指先が恥骨の裏の敏感なところを掠めると、勝手に腰が揺れてしまう。彼は吐息だけで笑い、指を二本に増やして、そこを一層強く、繰り返し押し上げた。

「……ぁっ、あっ――」

細い糸のような喘ぎ声を漏らして、ユリアネは再び果てる。ぎゅうっと彼の指を締めあげてしまい、その指の硬さに感じて、快楽がより深くなる。

きつく閉じていた瞼をうっすらと開く。涙で揺らぐ暗い視界に、ぼんやりとゲルハルトの顔が映りこむ。

トラウザーズの布地越しに彼の硬くはりつめたものが内ももに触れ、ユリアネは一瞬どきりとした。自分だけでなく彼も欲情していることが嬉しく思え、蜜壺がきゅんとつぼまるのを感じる。

(欲しい)

早く、彼を中に迎え入れたい。ひとつになりたい。

その言葉に出せない望みを聞き入れるかのように、ゲルハルトがユリアネの髪を一撫でして尋ねた。

「もう、入ってもいいか?」

ユリアネがせがむように腕に縋りつくと、彼は自らの衣服を緩め始めた。ユリアネの太ももを持ち上げて硬い膝をその下に挟み込ませ、腰を進める。

「――あ……っ」

「っ……」

彼の小さな呻きが耳に届いて、ユリアネの媚肉は侵入してきた太く硬いものをぎゅうっときつく銜《くわ》え込む。

「そんなに締めたら、入れられないだろう」

苦笑交じりの睦言に背筋がしびれた。

大きく張りだした笠の部分が、ひときわ敏感な腹側の壁をめりめりと押し上げる。得《え》も言われぬ快楽が腰から全身に行き渡り、脳裏を白く灼《や》いた。

「っ、ぁっ、あ――、あ、だめ、また……」

ずぶずぶと隘路《あいろ》を押し開いて肉の楔が進んできて、ユリアネはまた快楽の極みに投げ込まれる。

「や、いや、いっちゃ――、あぁ……っ」

きつく唇を噛みしめたのに、喘ぎが喉をついた。びくびくと震えながら達して、背筋をのけぞらせ、寝台に深く沈み込む。

まだゲルハルトはろくに動いてもいないというのに。

恥ずかしい表情を見られていたことに気づいて、思わず顔を覆った。

「なぜ隠すんだ」

手首を摑まれて、頭の両脇に縫いとめられる。顔を背けると覆い被さられ、深いくちづけを受けた。彼の舌がユリアネの口腔《こうこう》を犯すように掻きまわす。

肌を重ねながら交わすくちづけは、あまりに快美で甘かった。

「……さま……」

夢うつつのような意識の中で、ユリアネはぼんやりとその名を呼んだ。

手首を握りしめる彼の指から力が抜けた。

「ゲルハルトさま――」

ユリアネはゆっくりと右の腕を持ち上げて、自分に覆い被さっている男の顔に伸ばした。暗闇の中にその面影は薄らいで、はっきりと表情を見て取ることはできない。彼が彼であるかさえわからない。だから名前を呼んだ。

呼びかけるのは二回目だった。一度目は、媚薬に狂わされて許しを乞うための懇願だったが、今日は違う。快楽のあまり熱に浮かされたようになっても、ユリアネは正気だった。今夜のことを忘れたくなかった。

「どうした」

浅い呼吸の合間に、彼が問いかけてくる。

ユリアネは生理的な涙で霞む目を凝らし、彼の頬に手をあてる。

「ほら、どうしてほしい？」

彼は滑らかな声で、ユリアネが何かをねだるのを促す。

名前を呼んでもらえたら、とユリアネは思う。この一年間、今まで一度も彼に名前を呼ばれたことがなかった。たぶん自分のいない場所でもそうだったのだろう。

「言ってみろ。何でもしてやるから」

ユリアネは薄く唇を開き、少しのためらいの後、やっと口にした。

「……なまえを……」

空気が揺らいで、彼が首を傾げたのがわかる。ユリアネはもう言うまいかと思う。でも、彼と過ごすのはこれきりだから、せめて夜が明けるまでは後悔しないようにしたかった。

「名前を、よんでください」

「……っ」

彼が小さく息を詰めた。内部に埋め込まれている彼のものもびくりと動く。

ユリアネはすぐさま後悔に胸を塞がれた。調子づいて、身の程知らずなお願いをしてしまった。

「おまえは……！」

苦々しげな声で唸るように言って、ゲルハルトは噛みつくようにくちづけてきた。ユリアネは激しい接吻の合間にはくはくと呼吸する。

唐突に唇を離した彼が、ユリアネの頭を腕の中にきつく抱き込む。耳元に熱い唇を這わされる。

「ユリアネ」

力の籠もった、熱く低い声音が鼓膜を揺らす。

呼ばれたのは初めてだった。そしてきっと最後になる。そう思ったら、抱きしめられるよりも強く彼の首に腕を回していた。

「……ユリアネ。私は――」

何か言い継ごうとして、彼は口を噤んだ。その代わり、ゆったりとした抽送が始まる。

繰り返し繰り返し、耳に注ぎ込むように名を呼ばれ、ユリアネはうっとりと目を閉じた。

「ゲルハルトさま――、っぁ、あ、あっ」

「ユリアネ、苦しくないか――?」

苦しいはずがない。大好きな人に名前を呼ばれながら抱かれているのだから。

揺さぶりは、階段を上っていくように段々と、濃密でねっとりとした動きに変わってゆく。最奥に彼の先端が届き、子宮口を押し回すように捏《こ》ねると、より深い悦楽に意識が飛びそうになる。

「ううん、いい――、よくて……、ぁ、あっ」

縋りついていなければ、我を失う。彼の首筋にかじりつくように顔を埋め、ユリアネは声にならない声で告げた。

「ゲルハルトさま……、好き」

ユリアネの細い声が空気を揺らした瞬間に、ゲルハルトが小さく身を強張らせた。ユリアネはそれに気づかぬふりで彼の頭を抱き寄せる。

六つになった日から胸の奥底で温め続け、とうとう孵《かえ》ることのなかった恋。誰にも打ち明けたことのない想い。父母たちのことを考えれば、それがどれだけ罪深く、認められな

いものかということがわかる。

でも今だけは、ユリアネがこの言葉を口にしても、彼は一夜の戯れだと思ってくれるだろう。哀れな女の繰《く》り言《ごと》だと、夜が明ければ忘れてくれるだろう。

受け止めてもらうためではなく、信じてもらうためでもない。そして、応えてもらうためでもない。ただ恋を諦めるための告白だった。

「好き……、あいしてる――」

もう一度口にすると、強く抱きしめられた。

彼もユリアネを好きでいてくれるのだと、そう錯覚してしまうような抱擁だった。

熱い楔に繋がれ、息もつけないほど抱きしめられ、堰《せき》が切れたような快楽の波の中で、ユリアネは意識を薄れさせていった。


目を開けると、まだ彼の腕の中にいた。

何度姿勢を変え、貪り合ったかわからないほど、情熱的に抱かれた。指先から髪の一すじまで満たされきって、疲れはて、もう身じろぎすらできないほどだ。

ゲルハルトは、幾度挿入しても、決してユリアネの内で果てなかった。それが彼の優しい気遣いだと承知しているものの、一抹の寂しさもあった。

今、彼は上掛けのなか、後ろからユリアネを腕に閉じ込めていた。互いに衣服は身に着けず、素肌のままの恰好だ。彼がユリアネの前で着衣を解いたのは初めてだった。

ふたりは脚を絡め合わせてもいて、まるでユリアネは離すまいと拘束されているかのようだ。

ユリアネはゲルハルトの腕をゆっくりと解き、脚の間から身を抜け出させる。寝台に腕を突いて上半身を起こし、目を閉じている彼を見下ろした。

彫刻のように端正な顔立ちだが、今は険しい印象の瞳を閉じているせいか、少しだけ幼く見える。

ユリアネは、初めて彼に会った六つの日のことを思い出す。

十三になる前の日に、母が彼の父の愛人だと知らされ、二度と会えないと思って泣いた。

十五の秋に母を失い、その悲しみも癒えぬ間に彼と再会し、愛人にされ、辛くて涙も涸《か》れてしまった。

こんなに間近にいても、彼は果てしなく隔たれた人だ。

でも、遠いいつか、辛い出来事が時の流れの向こうに霞んでいってしまったら、やり場のない憎しみとか、彼が欲しいとか、愛されたいとか、そういう生々しい感情が海のように冷たい悲哀に深く沈んで、小さく白い結晶になる日が来るのかもしれない。

そっと手を伸ばし、彼の少し疲れたような目元に触れる。

(最後にもう一度だけ、くちづけることは許されるだろうか)

眠る彼を起こさぬように、ゆっくりと顔を寄せる。

しかし、ユリアネは寸前で思いとどまった。

帳の隙間から、うっすらと光が差し込んできていた。

(もう、夜が明けてしまった)

恋人のように抱いてほしいという最後のお願いは、一夜だけのものだった。

昨晩、自分は間違いなく幸せだった。その思い出が、これから先の長い時間を生きてゆく糧《かて》になるだろう。

ユリアネは唇に微笑を浮かべ、枕の側に追いやられていた寝巻を摑み、帳をくぐって寝台を出た。床に落ちているガウンを拾い、羽織っても、まだ寝室の寒さが堪えた。

けれど、身体の芯はほんのりと温かかった。

ずっとその温もりを覚えていようと、ユリアネは思った。


ゲルハルトが目覚めたとき、ユリアネはもう姿を消していた。

昨晩の出来事が夢ではなかった証に、敷布の上に微かな温もりだけを残して。

『嘘でいいから――、恋人のように抱いてください』

どんな思いで彼女がその願いを口にしたのか。彼女の傷ついた心が手に取るようにわかったから、ゲルハルトの胸はひどく掻き立てられた。

ユリアネは、これまでゲルハルトが強いてきた辛い関係を忘れたかったのだろう。初めての日の陰惨な記憶を、塗り替えてしまいたかったのだろう。彼女の純潔を踏みにじったゲルハルト自身にそんな歪んだ願いを向けるしかなかった彼女があわれだった。

寝台の中に作られた闇の中で、ユリアネはとても美しく、無垢だった。ゲルハルトによって愛人に貶められ、既に何度も抱かれていると言うのに、その肌は汚れを知らぬように滑らかで匂い立つようだった。溶けてしまいそうに柔らかで温かな唇の感触が思い出され、ゲルハルトの胸は熱くなる。

くちづけも、名を呼んだのも、昨日が初めてで、そして最後だ。

もう、二度と触れられはしない。

『ゲルハルトさま……、好き』

快楽の淵《ふち》で彼女が囁いた、甘い言葉。

『あいしてる――』

寝台の中でうつぶせになり、ゲルハルトは頭を抱える。あの澄んだ声が頭から離れなかった。ゲルハルトは、たとえ嘘でも、彼女にあんな言葉を向けてもらうことはできない人間なのだ。

(応えてやればよかったのか？　同じように)

だが、それは戯れに告げられる言葉ではなかった。

なぜなら、それがゲルハルトの本心だったからだ。

もしも彼女に、好きだ、愛していると伝えてしまったら、もう二度と手放せなくなっていただろう。泣いて嫌がる彼女に手枷足枷をつけ、鎖で繋いででも自分のもとに留めようとしたはずだ。たとえそれが、父が彼女の母にしたように苦しめて泣かせることになったとしても。

きっとユリアネは、ゲルハルトに恋人のように抱いてほしいと言ったように、彼女自身もそのように振る舞ったのだろう。恋人同士は甘い睦言を交わすものだと思っているのだ。何せ、他の男を知らないし、これからも知ることはないのだから。

ユリアネは今日、都に旅立ち、修道院に入る。

彼女はゲルハルトが示したさまざまな提案を、鮮やかに拒絶した。

自分の無力さに失望したと同時に、『一生、誰と結婚することもない』という彼女の言葉に、浅ましい安堵と暗い喜びを感じたのも事実だ。

ゲルハルトには怯えて仕方なく従い、すすり泣きながら抱かれていた彼女が、他の男に寄り添い、真摯なまなざしを向け、花のように微笑みかけるとしたら。もしもそんな彼女を見たら、ゲルハルトは間違いなく狂うだろう。

違う男を愛して、慈しまれ愛されて子どもを生み、自分の目も手も届かないところへゆくのが彼女の幸せなのに。ゲルハルトへの罰なのに。

彼女が誰のものにもならないでいるのが、救いなのだ。自分たち父子が奪った幸せを返してやりたいと思っていながら、ゲルハルトの性根は薄汚く腐ったままだ。

胸を掻きむしりたくなるような後悔の念が湧いてくる。

ふと目を上げると、細い光が帳の隙間から枕元に漏れてきているのが見えた。

ゲルハルトは身を起こし、帳を払って寝台を下りた。ゲルハルトが目を覚ました気配に気づいてか、侍従が寝室に入ってくる。

「おはようございます」

侍従はゲルハルトに清潔な衣服を差し出しながら、声をかけてくる。

「ゴルドー様が急ぎお見せしたいものがあるとお目覚めを待たれています。お通ししてもよろしいですか」

「かまわない」

珍しいこともあるものだと思い、ゲルハルトは着替えながらゴルドーが入室するのを横目で見ていた。大柄なゴルドーは神妙な面持ちで一冊の本を手にしていた。背表紙が擦れ、色褪《いろあ》せた古ぼけた本だった。

「何だ。それは」

「先代様の日記です。今朝、一冊だけ、書庫の奥から見つかりまして。日付からして、最後の一冊かと思われますが」

クラヴァットを締めていた手を止める。

ゲルハルトはゴルドーの差し出した日記をむしり取るように受け取った。

乱暴に扱った拍子に、頁の間から何かの切れ端が零れ落ちる。ゲルハルトのてのひらほどの大きさの紫色の布だ。

ゴルドーと侍従がそうするよりも早く、ゲルハルトは腰を屈めてそれを拾い上げた。

端が焼けこげているが、よく見れば、全体に精緻な刺繍が施されているのがわかる。

「これは……」

ゲルハルトはその布きれに見覚えがあった。

目にしたのは十年前に一度だけだったが、忘れられるはずがない。

「あの子どもの――」

なぜ、父の日記に、あの子どもの母が持っているはずのものが挟まれているのか。

ゲルハルトは焼けこげたリボンの端を握りしめ、その場に立ちつくしたまま日記を開いた。記録は、確かにゲルハルトが八つの夏の日付から始まっている。

震える手で頁を捲った。

ゲルハルトが九つになった秋が終わり、初雪が降った日。そのとき、父とゲルハルトは都の侯爵邸にいた。

ゲルハルトは父の端正な字を目で追う。

そこには、ユリアネの母であるタマラが、娘がやってくると言って前日からそわそわと落ち着かなかったこと、父がそんな愛人に焦れて、娘がやって来る頃合いを見計らってわざと側に引きとめたことが記されていた。

翌日。更に続きがあった。文字は大きく乱れていた。

娘が帰って行った後、父はタマラの部屋を訪れた。タマラは娘にもらったというリボンを大切そうに見つめていたが、父に気づいてそれを隠そうとした。父はリボンを取り上げてタマラの目の前で暖炉にくべた。タマラが火に手を差し入れてリボンを取り戻そうとしたが、父が慌てて止めたので、リボンは端を僅かに残して燃えてしまった。

父は、手に火傷《やけど》を負った愛人に、もう二度と娘とは会わせないと告げた。タマラは常の穏やかな表情が嘘のように、怒りを露わに泣き叫んだ。

『夫を殺したくせに、娘まで奪おうと言うの』

その言葉で、父はタマラが自分のした行いを全て知っていることに気づいた。半年前に肖像画を取り戻したのはやはり彼女だったのだとも。

絵をどこにやったと、父はタマラを問い詰めた。

彼女はぞっとするような美しい笑みを浮かべて答えた。

『焼いたわ。あなたがさっきしたように。あなたの手元にあるよりはましよ』

父は、非難と憎しみに満ちたその目に耐えられなかった。彼女の目が、父が亡き者にした夫の描いた絵や、引き離した邪魔な娘の作った刺繍を、愛おしげに見ることも許せなかった。

父はタマラに、自分を愛していると言えと迫った。言えないのなら、毒を飲めと。その毒は神経をむしばんで、視力を奪うものだった。

タマラは迷わず毒の杯《さかずき》を取り、茫然とする父の目の前で飲み乾《ほ》した。

父の日記はそこで終わっていた。

ゲルハルトの喉がからからに渇き、目の奥が熱くなっていく。

あの子どもは、母に会いに来たユリアネだった。

子どもは母が屋敷で働いていると言っていた。あれほど幼ければ、まだ愛人という母の立場を理解していなくても無理はない。髪の色が記憶と違うことは解せないが、そんなことは些末《さまつ》な問題だった。

よく考えれば、母に会えないという身の上も、あの澄んだ声も、小さな耳も可愛らしい爪も、裁縫が巧みなことも、全てが一致していた。

ゲルハルトは、あの子どもは母と暮らせるようになったのだと思っていた。でも、実際は違っていた。父によって、永遠に生死を分かたれてしまった。

タマラの言葉はきっと、彼女自身の身の上のことも言っていたのだろう。父の側などにいるよりは、炎に焼かれて身を滅ぼした方がましだと。

けれど、彼女は、夫の描いた絵を侍女に託し、ユリアネに残した。

父は母の死後、身分の違いを何としてでも愛人を正妻に据えようと目論んでいた。おそらくタマラはそれを恐れて自ら命を絶ったのだ。

手から力が抜け、ゲルハルトは日記を足元に取り落してしまう。拾うことも思いつかず、そのまま部屋を飛び出した。回廊を抜け、廊下を駆けて、ユリアネのいた部屋に向かう。

途中で何人もの使用人とすれ違ったが気にも留めなかった。

扉が開いていた。

まだ彼女がいるのかもしれないと、ゲルハルトはおそるおそる足を踏み入れる。

部屋の中ほどに、ミューエが立っていた。窓は全て開け放たれ、寝台から寝具が取り去られている。片付けの最中なのだろう。

「旦那さま。いかがなさいましたか」

声をかけられ、ゲルハルトは我に返る。

「……ユリアネは、もう発ったのか」

「はい。早朝に」

「何か、残していかなかったか」

ユリアネがあの指輪を置いていったのではないかと、ゲルハルトは考えていた。あるいは、とっくの昔に失くしたか、捨ててしまったか。

「ええ。お預かりしています。こちらを――」

そう言って、ミューエは鏡台の上を指し示す。大きな箱と小さく平たい布の包みが載っていた。

「両方とも、お返しすると言って寄越しました。中を検《あらた》めましょうか？」

ゲルハルトはその申し出に首を振り、箱の方に手をかける。菓子でも入っていたような紙の箱だったが、ずしりと重い感触があった。

蓋を開けたゲルハルトは、中を見て奥歯を噛みしめた。

収められていたのは、数え切れないほどの金貨だった。ゲルハルトが夜伽のたびに与えていたものだ。ほとんど手つかずなように思われた。

彼女の性格を鑑《かんが》みれば、きっと初めから、極力手をつけまいと決めていたのだ。

もう一方の、薄い布包みに手を伸ばす。あっけないほど軽かった。

包みを開くと、中から白い絹のチーフが現れる。

ユリアネの涙を拭ったあと、そのまま部屋に置いてきたものだ。

きれいに洗われ、火熨斗《アイロン》をあてられて畳まれている。

あの日のことが脳裏によみがえる。ついこの間のことなのに懐かしささえ覚え、どこかに彼女の涙の跡が残ってはいまいかと、チーフを広げた。

冬の初めの冷たい風が、部屋にそっと忍び込んでくる。

白い絹がふんわりと風を孕む。

その端に見慣れぬものを見つけて、ゲルハルトは目を凝らした。

白地に白い絹糸で、縫い取りが施されていた。

ゲルハルトの名の頭文字と、空を渡る鳥が刺繍されている。

幼いユリアネの声が耳によみがえる。

『鷹ってなに？』

『鳥だ。大きくて、鋭い嘴の』

思いがけず、視界が潤んで揺れた。
まだ互いの名も、素性も知らなかったころ。
あのとき、恋に落ちたのだ。
『また、会いに来ます。刺繍をいっぱい練習します』
彼女は約束を忘れていなかった。
再びゲルハルトの前に現れ、小さな刺繍を残し、去って行った。
ゲルハルトは、白く冷たい絹地に触れる。
なぜ、あと一日でも早く気づかなかったのか。
気づけないままでも、せめてもう少しだけ優しくしてやらなかったのか。
刺繍で描かれた鳥は、遠くを目指して大きく翼を広げている。
それは、鋭く深い、初恋の爪痕《つめあと》だった。

7　海に舞う雪

　ユリアネが修道院に来て、ひと月半が経った。

都にも冬将軍の訪れが近づいていた。

　パウラとユリアネが身を寄せている女子修道院は、海辺の丘の上にあり、十数人の修道女が共同生活を送っていた。彼女たちは、近くの町から通いで雇われた女たちの手も借りながら、隣接した孤児院の経営も行っている。

　修道女も、子どもたちも、二年前から手紙のやりとりを続けていたユリアネを温かく迎えてくれた。どう考えても訳ありのうら若い娘に、何も聞かず、かといって腫れ物に触るような扱いでもなく、ごくごく自然に静かに。

　ここに来て間もなく、ユリアネは都の大聖堂でひとりきりの誓願式を受けた。パウラが代母を務めてくれ、無事に式が終わったので、これまで胸の内で重い荷物となっていた心配事がなくなって深く安堵した。

もうすぐユリアネは十七になる。この修道院でまだ見習いの身の上だ。

黙々と務めに励み、疲れはてて眠りにつく日々だった。時間を持て余し孤独に過ごしたそれまでの一年間とは対照的で、ずっと心が安らいだ。

そろそろ都でも雪が降ろうかという日の朝。

朝の祈りの後、簡単な食事を済ませた修道女たちは、いつものように各々の仕事のために院内や孤児院へ散っていく。

ユリアネは、冷たい風の吹きすさぶ屋外で掃き掃除をしていた。修道院は海岸沿いに建っており、常に潮風に曝《さら》されている。

波の音や潮の匂いは、ユリアネの郷愁《きょうしゅう》を呼び起こした。冬の黒い海がゲルハルトの暮らすあの城の海に繋がっているのかと思うと、小さく胸が騒ぐのだ。

高い塀で囲まれた修道院と孤児院の敷地内を掃き終え、門の前に出たとき、珍しくも人影が近付いてくるのが見えた。

この修道院を訪れる人といったら、郵便配達人か、まれに慰問にやって来る貴族や資産家くらいのものだ。

海沿いの坂道を徒歩で町からやってきたのは、手紙を携えた郵便配達人だった。

ユリアネは彼から手紙を受け取り、頭を下げて見送った。

書簡は院長宛だった。封筒の裏には、女性の名前が短く記されている。

ユリアネは箒を塀に立てかけ、手紙を手に修道院の院長室に向かった。

この修道院と孤児院を束ねる院長は、六十過ぎの小柄な女性だ。いつも優しい笑みを浮かべて、おっとりと静かに話す。

院長と初めて対面したのは、ひと月半前のこと。

修道院についたその足で、荷解きもしないまま、ユリアネとパウラはそれぞれ院長と面談したのだ。

「遠いところをよく来てくれました。今日からあなたは私たちの姉妹ですよ」

城を出てから緊張し通しだったユリアネは、その柔和な笑顔にひどくほっとしたことを覚えている。

彼女はユリアネに修道院での暮らしについて丁寧に説明した。

「修道院では、着るものは下着以外は決まったものを用意しています。最低限の私物しか持ち込むことは許されません。華美なものや宝飾品はご法度ですが、大丈夫ですね？」

その言葉にユリアネははっとした。

十年前にゲルハルトがくれた指輪を、針箱に隠したままだったのだ。

今朝、城を出てくるときに白いチーフとともに置いてこようと思っていたけれど、できなかった。どうしても手放せなかった。指輪は、ゲルハルトが初めてユリアネにくれた贈り物で、ずっと心の支えになっていたものだったから。

決心が弱くて、未練を捨てきれなかったのだ。

指輪を誰にも見つからぬよう隠し持ち続けることは、そう難しくないように思われた。

でも、澄んだ目の院長を前にして、ユリアネは嘘をつくことができなかった。

荷物の中から愛用の針箱を取り出し、ピンクッションを手に取った。そして、二重底を開いて、収まっていた指輪をてのひらに載せた。

「まあ、そんなところに」

その様子を、院長は目をまんまるにして見つめていた。

「はい。……これは、ずっと昔に人からいただいたもので、ここに来るときにその方へ返そうと思ったのですが……、どうしても、できませんでした」

ユリアネは素直にそう打ち明け、院長に小さな指輪を見せた。

「これは、鷹の形ですね」

彼女はユリアネの手の中を見下ろしながら言った。

「まだ、手放せそうにないのですね？」

ユリアネはその言葉に頷いていた。院長は続けた。

「無理に捨てたりすることはありません。ここでは手元に置いておくことはできませんから、私が預かっておきましょう。ところで、あなたはまだ十六でしたね」

ユリアネは彼女に、指輪を差し出す。

「はい。この冬、十七になります」

院長はひんやりとした柔らかな手で大切そうにそれを受け取った。

「世を捨てることを決めるにはあまりに早すぎます。当面正式に修道女になることはお預けとしますから、しばらくは見習いとしてここで暮らして、その指輪をどうするかお考えなさい。修道女になるのはそれからでも遅くはありません。焦ることはありませんよ」

「はい。ありがとうございます」

ユリアネは礼を言う。

深く首肯した院長は、ふと指輪を見て、少しだけ目を見張った。

「あの……、何か？」

ユリアネが思わず問うと、彼女は我に返ったように首を振り、微笑んだ。

「いいえ、なんでもありません。それより覚悟はいいですね？　あなたはこの修道院で一番若く、経験も浅いのだから、一番たくさん働いてもらいますよ」

「はい」

ユリアネはその言葉に安堵し、笑った。

それからユリアネは、毎日夜明けとともに目覚め、水汲み、洗濯、掃除、パンごねといった重労働に従事している。乳幼児や幼い子どもの世話は手練《てだ》れの修道女たちの仕事だった。修道女たちは他にも、めいめいが機織りや農作物の世話など役割分担して生活している。パウラもとても楽しそうに働いている。

院長とは毎日祈禱や食事の際に必ず顔を合わせるが、ふたりきりで話をするとき、ユリアネはいつも少しだけ緊張してしまう。

手紙を手にした今も、どきどきしながら院長室の前に立っている。

「院長先生。入ってもよろしいですか？」

扉を叩いて中に声をかけると、お入りなさい、と返事があった。ユリアネが部屋に入ったとき、院長は机の前で何か書き物をしている最中だった。

「先生に、お手紙が届きました」

白い封筒を差し出すと、院長は眼鏡の向こうで目を上げ、にっこりと微笑んでそれを受け取った。

「あら、珍しい。ついこの間も、お手紙をくださったのに」

院長は、封筒と宛名を見ただけで、その書簡が誰から送られてきたものか気づいたらしい。上機嫌な声で話し出した。

「年に一度、寄付とともに慰問をしてくださる方なの。もう二十年以上続いているかしら。この夏にも来てくださって、子どもたちが大喜びしていたわ」

二十年以上も寄付と訪問を続けているだなんて、並大抵のことではない。

「今年、赤ん坊が三人も増えたでしょう。そのときもご親切に、お手紙でとても気遣ってくださっただけでなく、お乳の出る人をふたりも雇って送り込んでくださったのよ」

院長は少女のように肩を竦める。

修道院の生活は自給自足でほぼ事足りているが、孤児院の運営は篤志家《とくしか》の援助がなければなりたたない。慈善は貴族の義務でもあるが、彼らの持つ権力を後ろ盾としたり、財力での支援をうまく引き出すには、運用する側の手腕が肝要《かんよう》らしい。

院長は、優しく貞潔《ていけつ》な修道女の長という顔とは別に、したたかな経営者の顔も持ち合わせている。

聖職者だからといって、世俗《せぞく》と無縁に生きていけるわけではない。

でも、自らの身を貧しくし、子どもたちが豊かに育つためにそうするのなら、必要なことだ。

だからこそユリアネは、あの教会の司祭と、彼に言われるがままに従っていた自分とがどんなに愚かだったかわかるようになっていた。

「もちろん、あなたの送ってくれた子どもたちの下着もとても助かりました。ふたりで子どもたち全員分なんて、ずいぶんと時間がかかったことでしょうね。これからも頼りにしていますよ」

ユリアネは嬉しくなって、ぽっと頬を染めた。

「わたしもいつか、そのご親切な方にお会いできるでしょうか？」

尋ねたユリアネに、院長は穏やかな目で答えた。

「ええ。必ず、いつか会えますよ」

ユリアネは頷いて部屋を辞した。

廊下に出たあとも小さな胸の動悸《どうき》がおさまらなかった。やはり、院長の前に出ると少しどぎまぎしてしまう。

二十年以上も寄付と慰問を続けているというのは、いったいどんな貴婦人なのだろう。

きっと、とても慈しみ深くて心優しい人なのだろう。

ユリアネは、見習い修道女の仕着せのスカートを見下ろした。分厚い紺色の毛織の布でできていて、無駄な装飾は一切ない。ユリアネの着るものはこの一枚きりだ。

これまでも華美なドレスを身に着けたことはなかったし、ユリアネ自身もそんな装いに興味などなかった。

ふと、城下に住んでいた仕立て屋の夫婦のことが思い出された。秋の半ばに、青いドレスを作ってもらうことになっていた。冬には出来上がると言っていたから、ひょっとすると既にふたりは完成品を城へ届けてくれたのかもしれない。

ユリアネは、彼らに別れも告げずに修道院へ来てしまったことを今更ながらに悔やんだ。

(もうひとつ、わたしには未練があった)

それを断ち切れないことで自分を責めるのはよそうと、ユリアネは思っていた。院長が言ってくれたとおり、考える時間だけはたっぷりとある。

ユリアネは軽い足取りで掃き掃除に取りかかるのだった。


そのころ、侯爵領では既に何度目かの雪が降っていた。

ゲルハルトは領地での政務に勤しみながら、月に一、二度は都に戻り王宮を訪れて国王夫妻と王太子の話し相手をするという生活を送っていた。忙しくしていなければ、ふとした拍子にユリアネのことを思い出し、延々と終わりのない思考の深みにはまっていってしまうのだ。

その日、ゲルハルトは国王夫妻の御前に上がった。国王夫妻の応接間は、宮廷でもごく一部の者しか招かれない私的な空間だ。

ゲルハルトはそこでふたりに、婚約の予定が流れたことを報告した。

兄のような存在の国王は、婚約が成らなかったことには特段の関心を示さず、その理由も聞かなかった。

続けて、ゲルハルトは父とアンゲラー男爵の間に起こったこと、ユリアネの存在、侯爵領の司祭の秘密の漏えいについて包み隠さず告げた。

そして最後に、自分は結婚はせず、遠縁の者に爵位を譲りたいという希望を打ち明けると、国王は目に見えて顔色を変えた。

隣でお茶を淹《い》れていた王妃も、驚いて手を止めた。

「結婚はしろ」

そう一言だけ言った国王に向かって、いつまでも若々しい王妃は唇を尖らせた。

「陛下、無粋なことをおっしゃらないで。ゲルハルトはその女性に操を立てたいと言ってるんですよ。後継ぎなんてどうとでもすればいいじゃありませんか。ねえ」

「何が操だ。ばかばかしい」

ふたりは遠慮なく意見を交わす。私的な場所では、いつもは威風堂々とした国王が王妃の尻に敷かれているのが常なので、ゲルハルトは今更驚きはしない。

今日彼らに話したのは、ユリアネが去った後、ゲルハルトがひそかに心に誓ったことだった。この身に、恋に狂って人の道を踏み外した父の血が流れていることが怖かった。子どもをつくることでその血脈を繋いでゆくのはもっとおぞましい。ユリアネから幸福を奪った自分が、のうのうと家族を持つことなど許されるはずもない。

何より、もうゲルハルトは他の女を愛することができないと思うのだ。愛せない女を妻にしても不幸にするだけだ。父が母にしたように。

「まあ、どの口がそれをおっしゃいますの？　十年前、婚約者のいたわたくしに、結婚してくれないと一生独り身を貫くなどといって迫ってきたのは一体どなた？」

王妃は優雅な手つきでゲルハルトにお茶のカップを勧めながら言った。

国王はぐっと言葉に詰まり、気まずそうにお茶を飲み乾《ほ》した。

彼には、十年前、既に許婚との結婚間近だった伯爵令嬢に一目ぼれし、半ば無理やり自分の妃にしたという過去があった。当時は宮廷中を騒がせた醜聞だったらしい。ふたりは現在はたいそう仲の良い夫婦となり、数人の子どもに恵まれている。

「何とかよきようにしてあげてくださいな。ゲルハルトの気持ちがおわかりになるでしょう」

「だがな、王太子の守役が一生妻帯しないままでは外聞が悪すぎる。王太子が影響されたらどうするのだ」

「陛下」

ゲルハルトは、渋い顔の国王に向かって呼びかけた。

「私が結婚しないことが務めに差し支えるのであれば、王太子殿下の守役のお役目は辞退します」

その言葉に、国王が眉を上げた。

口を開こうとした彼に先んじて、王妃が一言ぴしゃりと告げる。

「許しません」

王妃ははっきりとした口調で言い継いだ。

「王太子はたいへんあなたを慕っていますから、どうか考え直してちょうだい。ね、こうするのはどうかしら。駄目で元々、その人に会いにゆくの。それで、結婚してほしいとその人にお願いする。応じてくれたら結婚する。わたくしがその方の後見をしてあげるわ。断られたら、諦める」

その突拍子もない提案に、ゲルハルトは思わず立ち上がっていた。

「結婚などと――、そんなことは考えたこともありません」

自分のような男が、彼女の側にいていいはずがない。ゲルハルトはそう続けようとしたが、王妃の話の腰を折ることは躊躇《ためら》われ、ぐっと言葉を呑みこんだ。

「でも、その方、聞く限りあなたのことを憎からず想っているようよ」

そんなことはとうに知っている。

だからこそユリアネはゲルハルトのもとを去ったのだ。ユリアネは、父のしたことでゲルハルトを責めることは一度もなかった。鋼《はがね》のような理性でもってゲルハルトを許し、何も奪わず、傷つけることなく、ひっそりと彼の前から去って行った。幸せを祈っているという言葉と、小さな初恋の形見を残して。

「――あれが、そんな話を受け入れるはずがありません」

誓願式のドレスのことを、親がいないから自分で何とかしなくてはと言っていたユリアネ。父母のことが明らかになった後も、一生結婚することはないと、一人で生きていく覚悟をしていた。何の後ろ盾もなく、ゲルハルト本人との間のこととはいえきずものになった身を憂《うれ》えていた。そのうえ、彼女は侯爵家の醜聞の生き証人に他ならなかった。

彼女は、自分自身がゲルハルトの汚点になることを恐れたのだろう。ゲルハルトのことを想っていても、側にいないほうがいいと考えていた。

ゲルハルトは、彼女のそんな優しさを受けるに値する人間ではなかった。彼女に失ったものを返してやりたかったのに、その術ももたない。

ゲルハルトは、自分の幸せが何なのかも、もはやわからないのだ。

「いいではないの。断られても、笑われても、会ってはもらえなくても。けじめだけはつけられるでしょう」

ね、と王妃は国王に流し目を送り、とっくに空になった国王のカップをさりげない仕草で取り上げた。

手持無沙汰になった国王は、苦い顔でゲルハルトに言った。

「求婚するかは別として、もう少し頭を冷やして考えてみろ。生き急ぐことはないだろう。おまえはまだ若いのだから。それから、下種な司祭のことは大聖堂に詳らかに訴えろ。離島の教会にでも飛ばしてやれ」

その言葉でようやく解放され、ゲルハルトは宮廷を辞した。

しかし、なかなか踏ん切りがつかなかった。

なぜならば、次にユリアネに会ったときには、父がタマラに毒を飲ませ、盲目にしてしまったことを打ち明けなければならなかったからだ。彼女は再び悲しむだろう。今度こそ、ゲルハルトを憎むかもしれない。

そうして迷っているうちに、彼女に渡さねばならないものがあることを思い出し、ゲルハルトは領地の城に舞い戻った。


城に入ったゲルハルトは、回廊で見慣れぬ夫婦の姿に気づいた。夫の方は大きな平たい箱を掲げ持ち、妻の方は大きなお腹を大儀そうに抱えていた。

普段ならば、気にも留めずに横目に通り過ぎていただろう。

思わず足を止めたのは、ふたりの会話の中に、ユリアネの名前を聞いたからだ。

「教会でお見かけしないから、どうしたのかしらと思っていたけど……」

しゅんとした妻がお腹を撫でて言った。

「あんなに楽しみにしてくださっていたのに」

「仕方がないさ。これは持ち帰ろう」

夫のほうが腕の中の箱を見下ろし、歩き始めようとしたとき、思わずゲルハルトは声をかけていた。

「待て」

ふたりがこちらを振り返る。

妻がゲルハルトに気づいて慌ててお辞儀をし、よろめいた。

夫がその身を支えようとした拍子に、抱えていた箱が傾いて、蓋が外れて落ちた。

「すまない、驚かせた」

ゲルハルトは床の上から蓋を拾い上げ、夫に差し出した。

箱の中身は、目の覚めるような青い布地だった。いや、ただの布地ではなく、縫製された衣服らしきものだった。

「これは、何だ？」

ふたりはそっと目くばせし合った。妻の方がおそるおそる口を開く。

「ドレスです。ミューエさまからことづかり、ユリアネさまのためにお作りしていました」

　そういえば、ユリアネに喪明けのためのドレスを作ってやるようミューエに命じたことがあった。しかし、ずいぶん前のことだ。

「なぜ、今頃になってここへ？」

　なるべく咎める色が出ぬように静かな口調で問うと、仕立て屋の妻は少し肩を落とした。

「ユリアネさまが、ご自分のドレスは他の皆様の後回しにするようおっしゃっていたので、今の時期になりました。急ぎましたが、間に合わなかったのですね」

　女の手が、柔らかそうな青い布地をそっと撫でた。

「ご両親のお話が町の人々の噂にのぼっているから、お姿をお見かけしないのはそのせいかもと思っていましたの。なのに、ずいぶん前にお城を出て行かれていたなんて……」

　彼女の心配げな声音で、この女がユリアネと心を通わせていたことがわかる。ゲルハルトはそれを有難いと思った。

　それと同時に、父がユリアネの父母にしたことの真実が領民に伝わりつつあることに安堵する。父母の名誉を回復することは、ユリアネがゲルハルトに望んだ、ただひとつのことだったからだ。

　ドレスの清らかな色は、ユリアネの白金色の髪と菫色の瞳をとても美しく見せただろう。

　ゲルハルトの記憶の中のユリアネは、夜の闇に浮かぶような白い寝巻姿か、下女の仕着せのような質素で簡素な格好のどちらかだった。

娘らしい華やかな衣装も、きらびやかな宝飾品も、おそらくは一つも持っていなかったはずだ。一年もの間ゲルハルトの愛人という立場にありながら、一度たりともそんなものをねだることもしなかった。

もしも彼女が男爵家の令嬢として育っていたならば、さほどの贅沢はできないまでも、身分に恥ずかしくない装いをしていたはずなのに。

「それは置いていってくれ。代金を倍取らそう」

ゲルハルトはそう言って、背後の侍従に声をかけようとした。

夫のほうが慌てて首を振る。

「いいえ、それには及びません。お代は先にいただいているのです」

「いや、私の気が済まない」

「仕事以上の対価をいただくわけにはまいりません」

強情な主人との押し問答《もんどう》の末、ゲルハルトは両袖のカフスを外して妻の手に握らせた。

「こんなに高価なものを……」

困惑する妻にゲルハルトはぶっきらぼうに言った。

「施しではない。少し早い祝いだ。元気な子を産め」

カフスは大粒の真珠でできた気に入りの品だったが、ゲルハルトはどうしても何かをこのふたりに持たせてやりたかった。ゴルドーが知ったら叱るかもしれない。

主人は仕方ないという顔をして深く頭を下げ、衣装箱をゲルハルトに手渡した。

夫婦は何度かゲルハルトを振り返りながら、ゆっくりと去っていった。

その優しく寄り添い合う後ろ姿を、ゲルハルトはいつまでも見つめていた。

ゲルハルトは、やっと認めることができた。

自分も、あんな風にユリアネの傍《かたわ》らにいたかったのだ。

でも、初めから間違えてしまった。

愛人にして辱め続けたけれど、ユリアネの心は折れぬままだった。夜伽の度に渡していた金貨を、ほとんど手つかずのまま置き去っていった。

結局ゲルハルトは、愛人などと呼びながら、彼女になにもしてやらなかった。野辺に出て日の光のもと雪や花を愛でたり、穏やかな夜に本を読んだり、誕生日に贈り物を交換したり、なにもせずともただ静かに一緒にいたり。普通の恋人たちがするようなことを、ひとつもした覚えがない。

一方的に奪い取るばかりだった。

それなのに彼女は、ゲルハルトに何も失わせぬよう、それだけを気遣って去っていった。娘らしい楽しみなんてひとつも知らないまま、受けとるべき父母の愛情も奪われて、ただ庭園の隅の日陰の花のように長い残りの人生を過ごすつもりなのだ。

もう一度会いたい。

会って、あの夜のささやきの真意を確かめたい。してやりたいことがたくさんある。

なのに、彼女だけがここにいない。

彼女に憎まれても、誰に許されなくても、側にいたい。優しくして、甘やかして、大切にして、いつか彼女が微笑んでくれるまで何年でも待ちたい。

あの姿絵の中でユリアネの母が微笑んでいたように。

怒りに任せて抱いたときとは全く別の動機で、ゲルハルトは彼女が自分の子どもを産んでくれたら、どれだけ幸福だろうかと思う。

そう願う資格が自分にないことは十分わかっている。彼女を欲する自分の心が、父の独善的な支配欲と重なって思え、恐ろしくもあった。

それでも、彼女に伝えたい。

たとえ受け入れてもらえなくても。足蹴にされても、鼻で笑われても。

それで彼女を永遠に諦めることになっても。


その日、都にその年初めての雪が降った。

ユリアネは院長にお使いを頼まれ、町の教会の司祭から預かりものをした帰りだった。

まだ陽が落ちる前だというのに、空は暗い鈍色だ。

いつもの仕着せの上にお古の外套を羽織っただけの恰好はひどく冷えた。ユリアネは、足早に雪のちらつく人気のない道を進んでいた。

薄く積もった雪を踏みしめながら下を向いて歩いていると、ふと、修道院の方角から馬の蹄《ひづめ》の音が聞こえる。黒く長い影が坂道をこちらに向かって下ってきているのが分かった。

一体誰が乗っているのだろう。修道院には牛や羊はいても馬はいない。

馬上の人は、黒い外套を翻しながらこちらに近づいてきていた。

ユリアネは彼の黒髪を認め、その場に立ちつくした。

「どうして――」

彼は、一年と少し前、九年ぶりにユリアネの前に現れたときと同じ格好をしていた。

軽やかな動作で鞍から下り、馬をそのままにこちらに歩を進めてくる。

なぜ彼がここにいるのだろう。

「どうして、こんなところへ？」

ユリアネがそう問いかけると、あと数歩というところでゲルハルトが足を止めた。唇を引き結び、鋭い目でこちらを見つめている。

「もう一度、おまえに会うために」

短くそう言って、彼は手袋を外し、懐から何かを取り出した。

一歩だけ足を進め、ユリアネに向かっててのひらを開いて見せる。

少し色褪せ、端は焦げた、薄紫色の布きれだった。布地を飾る拙い刺繍は、十年前にユリアネが手掛けたものだ。

「十年前、父がおまえの母から取り上げて、燃やしてしまった残骸だ。おまえの母は、暖炉に手を突っ込んでまで取り戻そうとしたという」

　ゲルハルトはユリアネの手を取ると、リボンの切れ端をその上に恭しく載せた。

　ユリアネは、母がこれを捨ててしまったのだとばかり思っていた。でもそうではなかった。奪われ、それでも取り返すために火傷を負うことも厭わなかったのだ。母の想いにユリアネは胸が苦しくなった。

「あのときの子どもは、おまえだったんだな」

　ユリアネは目を上げた。彼が静かに見下ろしてくる。

　胸の閊《つか》えがやっと取り払われた気がして、強張っていた肩から力が抜けた。

「刺繍をありがとう。――約束を忘れていたのは、私の方だった。父の日記を読み解いて、おまえのことに気がついたんだ。そして、そのリボンのことも、おまえの母が盲目になっていた理由も知れた。おまえには酷な話だと思うが、話しても構わないか」

　ユリアネは小さく頷いた。

　ゲルハルトは息を飲み込み、短く逡巡《しゅんじゅん》したあと、話しだした。

「十一年前の話だ。私の父は、おまえの母に自分の所業を知られ、嫉妬に狂って目を焼く毒を飲ませた。おまえの父の絵や、おまえの刺繍を二度と見られないように。だからおまえは、それきり母と会うことを許されなかったんだ」

　ゲルハルトは、身体の横で両の拳をきつく握った。その肩が微かに震えている。

　ユリアネは目を伏せた。あまりにひどい仕打ちに言葉を選ぶこともできず、ただ母の苦しみを想った。

「返さねばと思っていた。だが、おまえにこのことを話すのが怖くて、今日まで来られなかった」

彼がわざわざ、このことを話しリボンの切れ端を返すために来てくれたことが有難かった。ユリアネは、髪をなぶる雪風に目を細める。

「昔、私がこれを欲しいと言ったのは、側に置いたら心が和んで、幸せな気持ちになれるだろうと思ったからだ。今ならばわかるが、私は、物を手に入れたいのではなかったんだ」

一呼吸置き、彼は続けた。

「おまえを好きになったから、側に置きたかったんだ」

その言葉に、胸が詰まった。

「父とおまえの母が死んだあと、私は怒りと恨みに目が眩み、過去のことを知ろうともせず、おまえを辱めて傷つけた。本当にすまないと思っている。なのにおまえは、父のことがわかったあとも私を責めず、償いに何を求めるでもなく、私の将来が傷つかぬよう、私が何も失わないように気遣っていたな」

ゲルハルトは顎を引き、俯いて、声を絞り出すように言った。

「私は、全部失っていいんだ。引き換えにおまえに幸せを返せるのなら。……ユリアネ」

呼ばれ、ユリアネは目を潤ませた。

「おまえはどうしたら幸せになれる。教えてくれ」

問いかけを受け止めて、ユリアネは唇を震わせた。少しの間思案して、確かな声で答える。

「わたしの望みは、ゲルハルトさまがお幸せでいてくださること。優しくお美しい貴婦人と結婚され、後継ぎをもうけて、ずっとお健やかでいてくださることです。だから、これでいいんです」

真っ直ぐに彼の黒い瞳を見つめる。

この気持ちだけは、変わらぬまま抱《いだ》き続けてきたものだった。

改めて言葉にすると、驚くほど気持ちが落ち着いた。あの晩に言えなかったことをやっと伝えられた安堵に、もしかしたらこの日のために指輪を返せなかったのではないかとさえ思えていた。

「……それは、ありえない」

呻くような彼の声に、ユリアネは目を見開いた。

灰色の空を背負い、ゲルハルトは苦しげな表情を浮かべている。

冬の星を思わせる瞳。

ひとりぼっちの世界から手を伸ばしているような、寂しげな光を宿している。

「私はこの先、おまえ以外の女を愛せない」

「なぜ――」

「だから」

ゲルハルトの腕が伸びてきて、ユリアネの手をぎゅっと掴む。彼はその場に膝を折り、額にユリアネの手を押し付ける。彼の額は、打たれる前の鋼のように熱かった。

雪が、一瞬だけやんだような気がした。

「私の妻になってくれ。命をやるから、一片の慈悲《じひ》をくれ」

ユリアネは言葉を失った。

彼の言ったことに理解が追い付かなかったのだ。

初めに自覚できたのは胸が破れてしまいそうな驚きで、次にくもりのない喜びが全身にあふれた。けれど最後は、拒絶せねばという理性が勝った。

「ゲルハルトさま――、わたしは」

口を開いた瞬間に、立ち上がった彼に横抱きにされた。

「いい。まだ、何も言うな」

そのまま無理やり、大人しく待っていた馬に乗せられた。

後ろに乗ったゲルハルトに抱きしめられるような格好に戸惑っていると、心の準備をする間もなく馬が駆けだした。

馬はふたりを修道院へと運んだ。

ゲルハルトはユリアネを抱え上げたまま門をくぐり、敷地内に入る。修道院は男子禁制なので、ユリアネは驚いて彼の胸を叩いた。

「わかっている」

そう言って彼はユリアネを下ろし、腕を強く摑むと孤児院の方に向かった。雪遊びをしていた幼い子どもが数人、こちらに気づいて駆け寄ってくる。

「侯爵さま！　おかえりなさい」

親しげに声をかけてきたのは六つになる女の子だ。

「ユリアネ、すぐ見つかった？」

九つになる男の子は、大人びた様子で尋ねてくる。

ゲルハルトが大きな手で彼らの頭を順番に撫でているのを見て、ユリアネは驚いた。

「みんな、なぜこの方を知っているの？」

ユリアネの問いかけに、ふたりは胸を張った。

「知らないの？　一年に一回来てくれるんだよ」

「さっきここで、ユリアネはどこだって院長先生に聞いてたんだ」

ゲルハルトはふたりに自然な笑みを向けている。その優しい横顔に胸を締め付けられた。

「院長先生はまだこちらにいらっしゃるか？　会いたいんだ」

子どもたちは毬《まり》が転がるような足取りでゲルハルトを先導し、建物の中に入ってゆく。

院長は、数人の修道女とともに孤児院の食堂で夕食の準備をしているところだった。

ゲルハルトの隣にユリアネの姿を見つけた彼女は驚くでもなく、いつものおっとりとした口調で言った。

「あら、すぐ見つかってよかったわ」

「院長先生――」

彼女は、茫然と呟くユリアネに歩み寄って来て、微笑みかけてくる。

「びっくりしているのね。無理もありません。でも、いつか会えるでしょうかって言っていたのはあなたですよ」

小首を傾げるユリアネに、院長は指で四角い封筒の形を象って見せた。

つい先日、院長宛に届いた手紙のことだ。二十年来の支援を続けている、篤志家からだと言っていた。

「でも、あれは女性のお名前でした」

「グロウゼブルク侯爵夫人は、娘時代から熱心にこちらに通ってくださっていたの。夫人が亡くなった後は、この方が引き継いでくださっているのですよ。気恥ずかしいからとお母さまのお名前を使って。ああ、少し場所を変えましょうか。込み入った話になりそうですからね」

院長はふたりを孤児院の食堂から修道院の院長室に導いた。その間、ユリアネは混乱する思考をまとめることができなかった。確かなのは、ゲルハルトに取られた腕から伝わってくる彼の手の力強さだけだった。

院長は、執務机の抽斗を開けると、小さな箱を取り出した。

そこから銀色に光る小さな指輪を摘み上げ、ゲルハルトとユリアネに見せる。

「どうして、これがゲルハルトさまのものだとおわかりに？」

ユリアネの問いかけに、彼女は指輪の内側に彫られた文字を示した。ユリアネには読むことができない言語だ。

「古語でお名前が彫られているの。一目でわかりましたよ」

そう言って院長は少女のように笑った。

ユリアネの俗世への未練は、彼女にお見通しだったのだ。ユリアネは羞恥に頬を染めた。

「ユリアネ、まだ決めなくともかまいません。でも、今決めることもできます。あなたは今日、やっと十七になりましたからね」

言われて、はっとした。修道院にやって来てから毎日があっという間に過ぎたので、全く気づかなかったけれど、今日はユリアネの誕生日だったのだ。まさかゲルハルトは、この日を選んでやって来たのだろうか。

「この指輪をお返しして、修道に生きますか。それとも、もう少しだけ、世を捨てずに生きてみますか。さっき、この方に求婚されたのでしょう？」

その言葉にユリアネは茹《ゆ》だったように顔を真っ赤にした。ゲルハルトは落ち着いた様子で、隣から見下ろしてくる。

「私は、いつまででも待つ。――さっき言ったことは、本当は院長先生の前で言うつもりだったんだ」

だから、まだ何も言うなと言ったのか。

彼はそっとユリアネの腕を離し、一歩後ろに下がった。

ユリアネは、突然大きな海の真ん中に放りだされたような、寂しく頼りない心地になる。

「でも……」

ユリアネは床の上で視線をさまよわせる。

彼に妻になってほしいと言われたとき、ユリアネは確かに嬉しかった。夢に見たことすらなかった幸福だと思った。

でも、自分の身分や、これまでに両親同士やふたりの間に起こったこと、あの城で暮らす人々のこと、教会でのできごと、ひとつひとつを数え上げれば、自分自身が彼にふさわしい女でなく、絶対に相容れない立場だということを思い知らされるばかりだった。

ユリアネが黙って俯いていると、外から扉が叩かれた。入ってきたのは修道女姿のパウラだ。彼女はユリアネより一足先に既に修道女となっていた。

「パウラ……」

パウラは扉の前に控えている。ゲルハルトを見ても驚いた様子がないのは、彼の来訪を既に知っていたからなのだろう。

パウラも、ゲルハルトとユリアネがともにいることを許さないだろう。

それは、誰も幸福にしないということだからだ。

パウラの前で、ユリアネの心を読み取ったかのように彼は言った。

「ユリアネのことは私が守る。全てに責任を持つ」

嬉しかった。彼を信じて、身を任せたいと思った。ユリアネは戸惑いに瞳を揺らした。

「パウラ、わたし……」

少し離れたところにいる、育ての母の名を呼ぶ。

「ユリアネさま」

パウラは、少し寂しそうな、優しい声で答えてくれた。

「パウラは、ユリアネさまが決めたことに否とは言いませんよ。もう、誓願式を済まされ、十七におなりなのですから。……いつか、こんな日がくるかもしれないと思っていました。この方のことをお話しされるとき、ユリアネさまはいつも切ない目をしていらしたから……」

涙声の最後は聞き取れず、彼女はわっと両手で顔を覆った。

ユリアネは、パウラが、自分のことをユリアネの足枷のように思い、いつか離れねばと思っていたのかもしれないと思った。ユリアネが城にいた間も、修道院に来てからも、悩み続けていたのだろう。

ユリアネは、身を縮こまらせて泣くパウラに近づき、そっと抱きしめた。その身体がとても小さく感じられた。

「ユリアネ」

院長が優しく呼ぶ。

「あなたは若い。若すぎるのに、人の何倍も辛い思いをしてきましたね。でも、苦労はしたのにいいことは知らなすぎる」

だから、と歌うようにつづけた。

「もう少し俗世で暮らして、いろんなことを見聞きして、たくさんの人に会って、したいことをなさい。侯爵さまのことも、いろんな思いがあるかもしれませんが、気の済むまでお話ししてみてはいかが。だって羨ましいことに、あなたがたには時間がたくさんあるのですもの」

「先生……」

彼女は老眼鏡の向こうから、挑むような凛とした眼差しをユリアネに向けた。

「もしもいつか、ここで生きていきたいと思ったときには、いつでも来るといいでしょう。神のみこころはいつでも、誰にでも開かれています」

ユリアネは頷いた。

感謝の言葉は声にならず、嗚咽に溶けた。

院長の勧めで、ゲルハルトは今晩修道院へ泊まってゆくことになった。彼女はユリアネに、彼を修道院で唯一の暖炉がある応接間に通すよう言った。

雪の降る中、長時間にわたり馬を走らせていたゲルハルトの身体はたいそう冷え切っていることだろう。

外套は乾かすためにユリアネが預かったが、雪で濡れてずっしりと重かった。

ユリアネはゲルハルトを応接間に導き、中に入れた。

「今、火を起こしますから」

暖炉は常に種火を絶やさないようにされているが、部屋を暖めるためには薪をくべて火を大きくしなくてはいけない。

ユリアネはゲルハルトに長椅子をすすめ、自身は暖炉に近づこうとした。

「あっ――」

後ろから腕を摑まれ、引き寄せられて、背中からゲルハルトに抱きしめられた。取り落とした外套が足元に流れ落ちる。

「あの、寒いので部屋を暖めないと」

戸惑いながらそう言うと、ゲルハルトが腕にいっそう力を込めてくる。

彼はユリアネの肩口に顔を埋め、髪の匂いを吸うように深く呼吸していた。

「ゲルハルトさま……」

ユリアネの呼びかけに、ゲルハルトは問いかけで答えた。

「本当にいいのか？」

「何がです？」

「私の求婚を断るつもりだっただろう。私はそれが怖くて、おまえを馬に乗せたんだ」

ユリアネは思わず笑みを浮かべていた。まるで雪が春の空気に解けてゆくように、強張っていた肩から力が抜けていく。

「初めはそのつもりでした」

両手を持ち上げて、ゲルハルトの腕に添える。

「お城で過ごした間に、いい思い出はあまりありません」

彼の手の甲にてのひらを重ね、ユリアネは続けた。その手は大きく、驚くほど熱いままだ。

「父と母とも、もっと一緒に居たかったたし、ふたりの身に起きたことは悲しい。……侯爵さまのことをお恨みする気持ちがないといえば嘘になります」

それが偽りない気持ちだったので、素直に口にすることができた。

ゲルハルトは、もう動じることはなかった。

「でも、知らないままのほうがよかったかと聞かれれば、今は違うと思うのです。父母は、わたしが過去のために心を閉じて未来を狭めるのを望まないかもしれないし。それに――」

たぶん、パウラもそう思ってくれたから、許してくれたのだろう。

「さっき、妻になってほしいと言ってくださったとき、とても嬉しかった。わたしもずっと、ゲルハルトさまのことをお慕いしていました」

恋してはいけない、忘れなければいけないと思いながら、ユリアネはずっと心の奥底で彼のことを想っていた。ひどいことをされても憎み切ることもできなかった。

彼の腕が少し緩められ、また力を込められる。硬い鼻先が首筋をくすぐった。

「おかしいでしょう。でも、あの晩、ゲルハルトさまに言ったことは本当です」

「……おかしくなど、ない。私も、あのとき言うべきだった」

ユリアネは無言で何度もうなずいた。

「ゲルハルトさまが言ってくださったこと……、信じます」

彼の腕を解き、正面から向き直る。顎を引いて真っ直ぐに彼を見つめた。

その静かな表情の中に、微かな緊張とひりつくような恋情を感じる。

自分たちの間には幾重もの高い壁がある。

身分も違うし、共にいることを許さない人もいるだろう。

「わたしも命をあげます。あなたの側で生きていく。それでいつか、いつか――」

あなたの子どもを産みたい。

その言葉に彼がはっとしたように息を呑み、目を見開いた。

次の瞬間、再び強く抱きすくめられていた。

消え入るような声が短く、ありがとう、と言葉を紡いだ。

彼の腕の逞しさに、ユリアネはちいさなため息をつく。厚い胸に耳を寄せると、確かな鼓動が伝わってくる。

両手で顔を持ち上げられ、ユリアネは喉を仰のかせた。

ごくごく自然に引き寄せ合って、ふたりは唇を重ねた。その久しぶりの感触に、胸がぎゅっと締め付けられるように切なくなる。触れ合ったところから分け合う熱がどんどん高まってゆき、くちづけは深いものになる。

「ん……、ん」

これ以上のことは、この場所ではいけない。

そう思って彼の胸を引きはがそうとするのに、身体から力が抜けてしまい抗えない。

彼の手がユリアネの外套を剝ぎ取り、簡素なつくりのドレスを背中から開いてしまった。露わになった肩口に唇をつけられ、その濡れた感触にびくりと震える。

「だめです……、ここでは」

彼は無言で鎖骨にくちづけ、ドレスの肩を引き下ろす。

「ここは修道院です。それに、いつ人が来るか……」

「しばらくふたりにしてくれと頼んでいる」

「な――、っ、ぁ」

抱き上げられ、長椅子に腰かけたゲルハルトの膝の上に下ろされた。彼の太ももの上に横座りするような破廉恥な格好に頬が熱くなる。

下から見上げられて、ユリアネは視線を自分の胸元に落とした。

「あ……」

彼は待っていたかのように、半脱ぎにしたドレスの襟ぐりを引き下ろし、コルセットに包まれた乳房のあわいにくちづけた。ユリアネの白い肌を吸いながら、彼は背中に手を回してコルセットの紐を解いていく。

衣擦れの音に羞恥心を煽られ、思わず彼の肩を両手で握りしめてしまう。

「恥ずかしい……」

ユリアネが思わず零した言葉に、ゲルハルトが答える。

「なぜ恥じるんだ」

「きれいな身体じゃないから――」

消え入るような声で呟いた。目立ちすぎる白金色の髪、紫色の目。やせた身体は成長の途中で女らしいとはまだ言い難い。そして、もう無垢ではない。

「きれいだ」

小さく首を振る。

ゲルハルトが少し苛立ったように顔を上げた。

「きれいだ。ずっと閉じ込めておきたい」

下から噛みつくようにくちづけられる。情熱的に求められると、胸のざわめきと安心がいちどきに訪れた。

彼の指がユリアネの耳に触れる。その輪郭をたどり、耳朶を挟んでくすぐる。

「おまえの耳は可愛い」

小首を傾げるユリアネの首筋に顔を埋め、彼は耳の後ろの柔らかいところに舌を這わせた。

くすぐったくて、けれど、もっとしてほしいと言うようにユリアネの背は彼に甘えるように丸まってしまう。

「白くて冷たいのに、触ると赤く、熱くなる」

注ぎ込むような甘い言葉に、ユリアネの瞳は潤んだ。

器用にドレスを脱がされ、コルセットを外され、薄いシュミーズとペチコートだけの姿にさせられる。

そんな恰好で彼の膝上に座らされていると、彼の下腹でいきづく硬いものの感触に気づかないままではいられない。

ゲルハルトは丹念にゆっくりとユリアネの全身を愛撫して、少しずつ火をつけていった。

首筋、肩、二の腕に彼のてのひらが滑る。背中と腹をくすぐるような手つきで撫でる。

「っ、ぁ……、ん」

もどかしく感じるほどの愛撫だったが、彼は飽きることなく、時折震え、声を漏らすユリアネの反応を愉しんでいるかのようだ。

ペチコートを捲りあげ、ドロワーズを引き下ろされたとき、ユリアネのそこは期待に花開き、蜜を滴らすほどだった。彼の手を待ちわびて、おのずから膝が開いていく。

「ん、あ……っ」

ゲルハルトの指先が淫核を掠め、最奥に届く。

「もう、いいか」

ぬるりと指が滑る感触があった。何を尋ねられているのかわからないふりはもうできず、微かにうなずく。

下穿《したば》きの前立てを寛げようとした彼のため、ユリアネはお尻を浮かせた。その腰を摑まれ、足を広げさせられ、彼の下腹を跨ぐ格好になる。

「このままゆっくり、腰を落としてみろ」

「そんな……」

彼の肩を摑んだ手に力がこもる。彼と早く繋がりたいけれど、羞恥が勝った。

「ずっと、顔を見ていたい」

彼の低い声に、身体の芯がしびれるようだ。

熱情を込めて見上げてくる瞳の甘さに耐えきれず、はぁっと小さなため息をつく。

「このまま、ゆっくりでいい」

ユリアネは優しく促されるまま、少しずつ腰を下ろしていった。硬い楔の尖端が秘所に触れる。びくりと身体が揺れるのを我慢することができず、唇を噛み、声をこらえながら、太い雁首をずぶずぶと受け入れていく。

「……ふ、っぁ、ぁ」

扉一枚隔てた向こうでは、修道院の人々が普段通りの夕方の時間を過ごしている。後ろめたさと裏腹な悦びを噛みしめて、ユリアネはゲルハルトの頭を胸の中に抱いた。

存外に柔らかい黒髪、冷たい額、硬い鼻筋に手を這わせる。

「はぁ……、あ、深い……」

彼の全てを内に受け入れて、ユリアネは思わず囁くような声でそう漏らしていた。体重をかけて重なっているせいか、今まで交わったどんなときよりも奥深くまで彼が届いている気がする。

「んっ……、深くて、こわい……」

まだ少しも動いていないのに、触れ合ったところから感覚が流れだし、溶け合ってしまうような心地がした。おさまらない呼吸を交換するように、ふたりはしきりにくちづけを繰り返す。

「こわくない」

ゲルハルトが、吐息だけでそう言った。

下からくちづけられ、舌を貪られる。肌を重ねながら唇を交わす美酒のような幸福にユリアネは我を忘れた。

もう決して離れたくない、とユリアネは思う。

「二度と離さない。幸せにする。約束する」

その言葉に目をつぶり、強く彼と抱き合った。

こんな風に彼に愛されたかった。彼を愛したかった。

偽りの一夜では、とても足りなかった。

「ゲルハルトさま……」

ユリアネは愛しい人の名前を呼んだ。

彼がその声に答えてくれる。

「ユリアネ、愛してる――」

夢を見ているような幸福に、ユリアネの頬をひとつぶの涙が滑った。

終章

雪解けのころ、ふたりは都の大聖堂でひっそりと結婚した。

国王夫妻が前触れもなくふたりの前に姿を見せた。驚き戸惑うユリアネが彼らに祝福されるさまを、ゲルハルトは傍らで見守ってくれていた。

間もなく、彼はユリアネを伴って侯爵領に帰った。

よく晴れた夕方だった。

ゲルハルトは、城を見渡せる海岸までユリアネの腕を引いていく。

陽が落ちる寸前にたどり着いたのは、小さな庭園だった。

白い柵で囲まれた敷地の中に、腰の高さほどの薔薇の植え込みがさりげなく繁《しげ》る。薔薇はまだつぼみの姿も見せていないが、もう少し暖かくなれば白い花を咲かせるという。

その中央には、白く小さな墓標《ぼひょう》がふたつ、眠るように埋もれていた。

「これは――」

声を失くしたユリアネの肩を、ゲルハルトがさりげなく抱く。

「入って、近くで見てくれ」

夫に促され、ユリアネはそっとなかへ足を踏み入れる。

隣り合う白い石の墓標には、ユリアネの両親の名が刻まれていた。

「空《から》の墓だ。だが、おまえが父母を偲べる場所になればいいと思う」

低く優しい声が、夕凪《ゆうなぎ》の静寂に流れる。

ユリアネは、自分の目が潤むのを感じた。

ゲルハルトが海を臨めるところにユリアネの両親の墓所を作ってくれた。

ふたりは、海の底で、手を取り合うことができたのだろうか。

そこからユリアネのことを見てくれているだろうか。

「よく、司祭さまがお許しくださいましたね……」

「あの男は、ここを去った」

ゲルハルトは短く言った。

彼も、ユリアネと同様に、信頼していた司祭に母の告解の秘密を暴かれたのだ。彼は教会に対して何らかの手段をとったのかもしれないし、とらなかったのかもしれない。

ユリアネは、それ以上のことを問うのはやめた。

「ゲルハルトさま、ありがとう……」

そう言おうとしたが、語尾は嗚咽に紛《まぎ》れた。

夕陽がゆっくりと水平線に沈んでゆく。
ユリアネは、愛する人の逞しい肩に身を預け、その光景を見つめる。
二匹の白い蝶が、戯れるように庭園を舞い、ふたりの側を飛び去っていった。

あとがき

こんにちは。藤波《ふじなみ》ちなこと申します。

初めての方も、二度目の方も、この本をお手にとっていただき、ありがとうございます。

ソーニャ文庫さまで二冊目の本を出していただけることになりました。これもひとえに読んでくださる方のおかげです。

『初恋の爪痕』は、両親同士に根深い確執のある青年侯爵と男爵令嬢が、幼い日に互いの素性を知らぬまま恋に落ち、長じた後に最悪な状況で再会する……という話です。

このお話には、「身分違い」「すれ違い」「しがらみでがんじがらめ」「初恋をこじらせて無体を働くヒーロー」「愛人関係を強いられるヒロイン」など、私自身が小説を読む上でも書く上でも大好きなモチーフを、これでもか！　とあらんかぎり詰め込みました。

自由に書かせてくださり、優しいアドバイスで完成まで導いてくださった担当のNさま、ありがとうございました。『初恋の爪痕』のタイトルを気に入っていただいて、とても嬉しかったです。

そして、北沢《きたざわ》きょう先生には、大変お忙しい中、ため息が出るほど綺麗なイラストを描いていただきました。美しい表紙は言わずもがなですが、子ども時代の主人公たちを見たいという作者のわがままを叶えてくださり、本当にありがとうございました。

北沢先生の美しいイラストとともに、少しでもこの本を楽しんでいただけたら幸いです。

最後に、この本をお手にとってくださった皆様に感謝を込めて。

藤波　ちなこ

この本を読んでのご意見・ご感想をお待ちしております。

◆ あて先 ◆

〒101-0051
東京都千代田区神田神保町2-4-7 久月神田ビル7階
㈱イースト・プレス　ソーニャ文庫編集部
藤波ちなこ／北沢きょう

初恋《はつこい》の爪痕《つめあと》

2014年11月7日　第1刷発行

著　者　藤波《ふじなみ》ちなこ
イラスト　北沢きょう
装　丁　imagejack.inc
DTP　松井和彌
編　集　馴田佳央
営　業　雨宮吉雄、明田陽子
発行人　堅田浩二
発行所　株式会社イースト・プレス
〒101-0051
東京都千代田区神田神保町2-4-7 久月神田ビル8階
TEL 03-5213-4700　　FAX 03-5213-4701
印刷所　中央精版印刷株式会社

ISBN 978-4-7816-9542-6
定価はカバーに表示してあります。

Sonya ソーニャ文庫の本

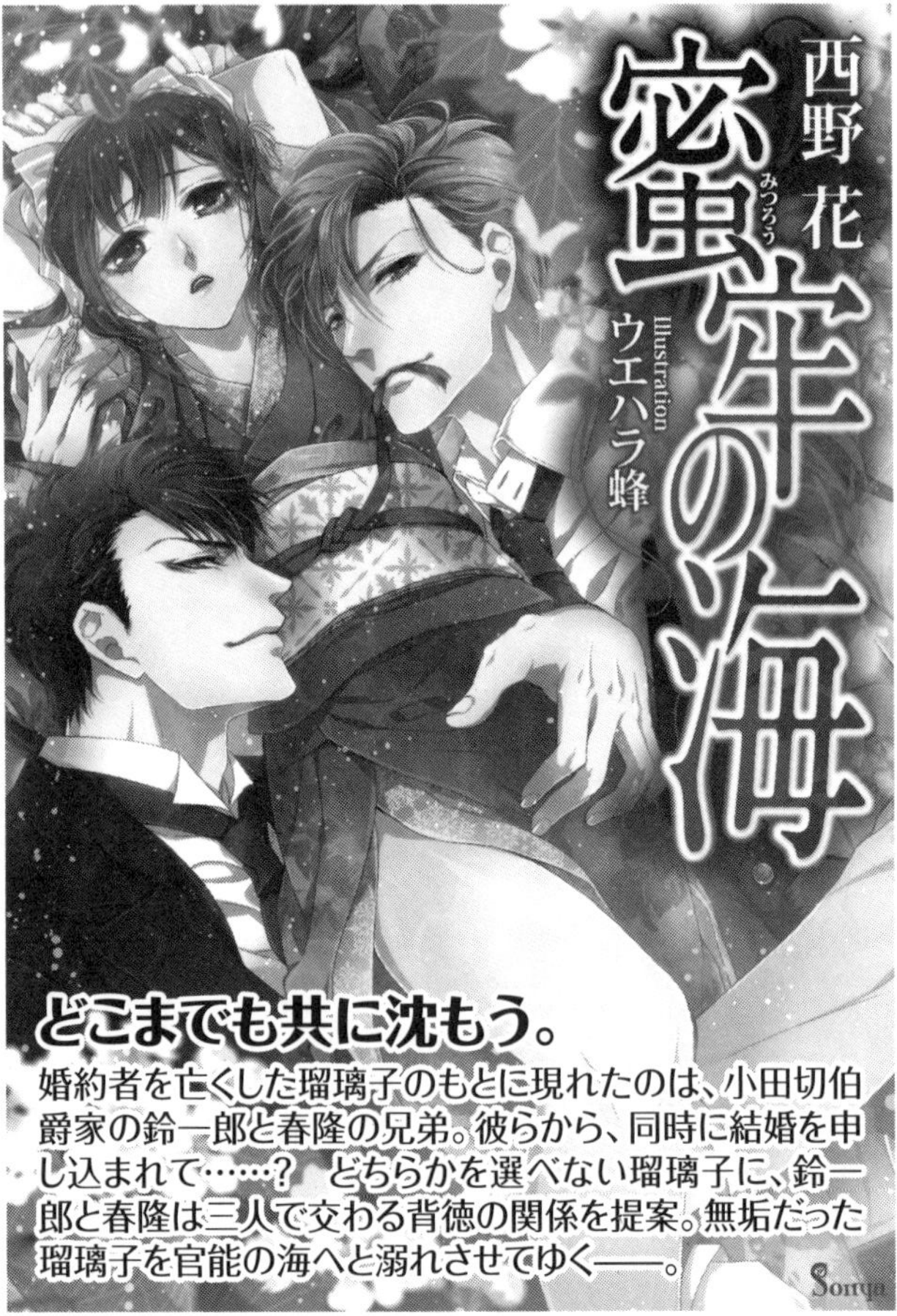

『蜜牢の海』　西野 花

イラスト　ウエハラ蜂